Entre Cronos & Kairos

Estudios históricos y teológicos sobre el pentecostalismo latinoamericano

Daniel Chiquete & Angélica Barrios

www.publicacioneskerigma.org

Diseño de Portada: Publicaciones Kerigma

2017 Publicaciones Kerigma

Salem Oregón

ISBN-10: 0-9989204-2-8

ISBN-13: 978-0-9989204-2-9

Primera Edición 1500 ejemplares

Entre Cronos y Kairos

Entre Cronos & Kairos

Estudios históricos y teológicos sobre el pentecostalismo latinoamericano

Daniel Chiquete & Angelica Barrios

Dedicado con cariño a las compañeras y los compañeros de RELEP, por el trabajo y los sueños compartidos.

Contenido

ENTRE CRONOS Y KAIRÓS. Estudios históricos y teológicos sobre el pentecostalismo latinoamericano

Probablemente para algunas personas el título de este libro resulta extraño. Y lo es. Por ello nos permitimos algunas notas explicativas sobre él. *Cronos* y *Kairós* son dos términos procedentes del griego y que están en relación con el tiempo. De manera simplificada, puede entenderse el *cronos* como el tiempo medible en unidades regulares como los segundos, siglos, décadas, años, días, etcétera. El *kairós* es un tiempo de cualidad diferente y no mensurable. Son momentos o lapsos donde acontece algo trascendental, que modifica la rutina, cambia la historia, nos devela una dimensión nueva de la existencia humana.

Por lo anterior, nos pareció que estos términos juntos eran una metáfora apropiada para lo que significan esta colección de ensayos sobre el pentecostalismo latinoamericano. Este pentecostalismo ha iniciado ya su segundo siglo de existencia en nuestro continente. Se registran fechas precisas para él, por ejemplo 1909 para sus orígenes en Chile y 1914 para los de México. Al mismo tiempo, esta historia pentecostal ha tenido fases especiales, unas de crecimiento, otras de consolidación, otras de fragmentación, unas de enriquecimiento y otras de confusión: algunos momentos han sido kairológicos. Es decir, el pentecostalismo latinoamericano se ha movido en su corta existencia entre *cronos* y *kairós.*

También el grupo de reflexión y trabajo con el que participamos la autora y el autor de este libro, y al que dedicamos este libro, la *Red Latinoamericana de Estudios Pentecostales* (RELEP), se mueve entre el *cronos* que nos marcan nuestras posibilidades de reunirnos e intercambiar nuestras reflexiones y el *kairós* que ha significado cada uno de nuestros encuentros. También la autora y el autor de estos estudios consideran que su encuentro en una reunión de RELEP se movió entre las presiones cronológicas y los momentos kairológicos. Los trabajos reunidos en este libro son históricos y teológicos al mismo tiempo, pues en cada uno de ellos están presentes ambas perspectivas, aunque ciertamente una enfatizándose más que la otra. Es nuestro primer libro en conjunto y confiamos que no será el único. Esperamos que a pesar de la tiranía del tiempo logremos seguir disfrutando muchos momentos kairológicos. Dios quiera que la publicación de este libro sea uno de ellos.

Daniel Chiquete / Angélica Barrios
Culiacán, México, mayo de 2011- diciembre de 2016

Presentación

Recuerdo muy bien cuando conocí a Daniel Chiquete en el Seminario Bíblico Latinoamericano (hoy Universidad Bíblica Latinoamericana) el año 1996, en San José, Costa Rica. Ambos éramos estudiantes de teología de este prestigioso centro teológico de formación. Daniel venía del norte de México y yo del sur de Chile, dos puntos equidistantes del continente latinoamericano. Con una actitud apoteósica sobre el movimiento pentecostal intercambiamos opiniones sobre el futuro teológico y la tarea de abrir nuevos surcos, tanto en el seno del movimiento ecuménico como en el pentecostal. Eran años de sequedad teológica pues el impacto de la "caída del muro de Berlín" se dejó sentir también en el quehacer teológico. El tema eje de los cursos de ese bimestre era sobre los niños y niñas trabajadores en Latinoamérica, un tema fascinante para la reflexión y el estudio. No obstante, para los escasos cuatro o cinco estudiantes pentecostales de un universo de veinticinco aproximadamente, provenientes de todo el continente, el tema que nos embelesaba era cómo los pentecostales podíamos hacer teología desde nuestros más diversos y ricos contextos sociales, culturales y religiosos. Allí se empezó a gestar lo que hoy conocemos como RELEP (Red Latinoamericana de Estudios Pentecostales) de la cual Daniel Chiquete es su actual coordinador continental, no antes haber concluido sus estudios doctorales en teología en la Universidad de Hamburgo, Alemania.

En el Centro Evangélico de Estudios Pentecostales (CEEP) el año 2002, recibimos una carta de una estudiante de Historia, solicitando tener acceso al archivo histórico del CEEP. Era Angélica Barrios, integrante de la Iglesia Evangélica Pentecostal, de Chile. Buscaba obras, autores y fuentes que dieran cuenta del trayecto del pentecostalismo en la sociedad. Este hecho nos tomó por sorpresa, pues no era habitual recibir este tipo de solicitudes, más aun de una persona perteneciente a una de las iglesias más antigua y ortodoxas del pentecostalismo chileno. Allí nació una linda amistad que se conceptuó en torno a temas sobre la historia del movimiento pentecostal. El desarrollo investigativo, académico, intelectual, junto a una gran pasión por la memoria histórica del pueblo pentecostal, el descubrir y describir sus huellas en la sociedad chilena caracterizan el semblante profesional de Angélica Barrios, hoy Magister en Historia por la Universidad de Chile.

Angélica Barrios y Daniel Chiquete, como matrimonio y profesionales con una sólida formación académica y una nutrida trayectoria nos presentan su primer libro en conjunto: *Entre Cronos y Kairós: Estudios históricos y teológicos sobre el pentecostalismo latinoamericano.* Este obra evidencia que Angélica y Daniel son autores prolíficos y fecundos que tienen un alta vocación y destacado profesionalismo puesto al servicio del conocimiento de la historia, la teología y la inserción social del pentecostalismo; pero en especial ellos apuestan al saber de cómo esta joven tradición cristiana puede contribuir a una concepción religiosa que esté al servicio de la dignidad humana.

En la presente obra, Angélica Barrios, como brillante y joven historiadora pentecostal, en forma magistral nos presenta su primer estudio: "*Hermosa ciudad donde no habrá lágrimas ni sol*: Estudio histórico del pentecostalismo en el contexto urbano de Santiago de Chile en el período de 1950 a 1970". Aquí la autora, en su tarea investigativa, describe cómo la presencia de las comunidades pentecostales fueron una alternativa al proyecto de modernidad urbana del gran Santiago entre los años 50 y 70 del siglo veinte, al construir y habitar sus espacios cúltico en los sectores periféricos de la principal ciudad de Chile.

En su segundo estudio – "*Teo-odisea cantada:* Vida e imaginario del creyente pentecostal a través de sus cánticos", Angélica Barrios, como hábil investigadora indaga sobre la función de los cánticos dentro del culto pentecostal chileno, especialmente los "coritos", y analiza los elementos imaginativos que subyacen en su contenido textual, como también explora el significado de esos componentes en la experiencia religiosa de los creyentes.

El tercer estudio – "*Elena Laidlaw, la hermana Elena*: Elementos originarios de identidad del pentecostalismo chileno presentes en la figura de una mujer controversial", la profesora Barrios nos comparte el protagonismo una mujer líder en los inicios mismos del pentecostalismo en Chile como lo fue la hermana Elena Laidlaw.

Por su parte, Daniel Chiquete, teólogo y arquitecto de profesión, como investigador del pentecostalismo cuenta con más siete obras publicadas, entre las que se destacan *Silencio Elocuente: Una interpretación teológica a la arquitectura pentecostal*, ahora nos presenta los tres siguiente estudios: – "*Metamorfosis sagrada:* Apuntes socio-teológicos sobre algunas concepciones urbanas y arquitectónicas en el pentecostalismo". Aquí, nuestro teólogo pentecostal nos comparte con agudeza intelectual algunos apuntes respecto a la relación entre el mundo social y la visión teológica-religiosa del pentecostalismo, y sobre la incidencia de este binomio en la comprensión pentecostal de la arquitectura y el urbanismo.

En su segundo estudio, Daniel nos presenta *"Montanismo y pentecostalismo:* Dos perturbadores y necesarios movimientos del Espíritu en la historia del cristianismo". En su artículo el Dr. Chiquete busca despertar la inquietud por un conocimiento más amplio del montanismo entre los estudiosos y las estudiosas del pentecostalismo latinoamericano. Son cuatro los aspectos en que deja señalado las grandes líneas, la gran similitud entre el montanismo de los siglos II y III con el pentecostalismo de los siglos XX y XXI.

En su tercer estudio Daniel Chiquete nos comparte la siguiente reflexión teológica: "*Experiencia pentecostal e interculturalidad:* Por una educación teológica encarnada en Latinoamérica". Desde un horizonte de fe y participación eclesial, pentecostal y ecuménica procura compartir algunas ideas y plantear ciertos desafíos que puedan estimular la reflexión teológica. El tenor de la reflexión lo encausa mediante las siguientes temáticas: Experiencia pentecostal; dimensiones de la experiencia religiosa pentecostal; puntos teológicos centrales del pentecostalismo; pentecostalismo e interculturalidad y educación teológica encarnada. La parte final del artículo se caracteriza por una crítica seria, constructiva y sólidamente fundamentada a la actual educación teológica ecuménica en el continente.

Entre Cronos y Kairós: Estudios históricos y teológicos sobre el pentecostalismo latinoamericano es una obra donde Angélica Barrios y Daniel Chiquete hacen una contribución magnífica al conocimiento del movimiento pentecostal. El libro puede ser leído por académicos e integrantes de las más diversas expresiones cristianas, pero que tengan la buena voluntad de querer conocer y comprender en parte, la vida y obra de la más joven de las tradiciones del cristianismo: el movimiento pentecostal.

Dr. Luis Orellana Urtubia
Historiador del movimiento
pentecostal en Chile

Prólogo

El tiempo y la vida van de la mano...

Todo en la vida tiene su tiempo... Tiempo de nacer y tiempo de morir; tiempo de plantar y tiempo de arrancar lo plantado; tiempo de destruir y tiempo de edificar; tiempo de llorar y tiempo de reír. (Versión adaptada de Eclesiastés 3:1-8)

¡Cómo las palabras de Eclesiastés adquieren sentido en nuestro día a día! No me canso de leerlas y recitarlas en diversos contextos en que me ha tocado interpretarlas.

Es que como seres humanos somos parte del tiempo, nuestra vida se realiza en él, nuestra existencia acontece en el tiempo con sus mieles y sinsabores, con sus experiencias místicas y las comunes.

Nuestra vida es el tiempo, el oportuno, el de la medida, el del control, el del tiempo justo... Cada persona hace sus elecciones y las asume en el tiempo.

El tiempo en el tiempo justo

Cuando Daniel y Angélica deciden publicar *Entre Cronos y Kairós: Estudios históricos y teológicos sobre pentecostalismo latinoamericano*, nos queda muy claro desde dónde nos escriben y desde dónde se encuentran en los tiempos para compartirnos los seis estudios de este libro.

Daniel Chiquete, arquitecto, historiador y teólogo, laico pentecostal mexicano, con sus escritos nos ofrece su capacidad sistematizadora mediada por la palabra escrita, a través de su bagaje académico adquirido a través de ricos años de experiencia latinoamericana y europea.

Angélica Barrios, historiadora e investigadora chilena de raíces pentecostales, presenta sus reflexiones vivamente encarnadas a través de los acontecimientos históricos del pentecostalismo chileno, que ya hace un siglo forma parte del imaginario religioso de este país.

La dedicatoria nos posiciona sobre el suelo en el cual nacen estos escritos, así como los rumbos que tomarán. También nos muestra el horizonte desde dónde miran el tema estos autores pentecostales que, además, con sus sentimientos han unido a América Latina desde México hasta Chile, formando así parte de una extensa, rica, fraterna y sororial comunidad llamada RELEP a la cual le han dedicado su libro: "a las compañeras y los compañeros de RELEP, por el trabajo y los sueños compartidos".

Angélica y Daniel son parte de la *Red Latinoamericana de Estudios Pentecostales* (RELEP). Junto con ellos formamos un grupo de estudiosos y estudiosas del Pentecostalismo latinoamericano y caribeño. La mayoría somos participantes activos de comunidades, iglesias, facultades de teología, seminarios teológicos, universidades y/o proyectos pentecostales. Procedemos de varios países del continente, incluyendo investigadores/as de otros contextos eclesiásticos y geográficos. Es una gran diversidad que se ajusta a nuestras procedencias pentecostales, diversas también.

El tiempo y el pentecostalismo

No podemos hablar del pentecostalismo latinoamericano sin antes mencionar la experiencia de los protestantes en el continente.

La situación vivida por los primeros protestantes que llegaron a América Latina no se limitó a la mera ambientación de las condiciones climáticas, sino que debieron enfrentar fundamentalmente el férreo monopolio y la fuerte presencia del catolicismo romano, impuesto en estas tierras junto con la colonización y, en el caso chileno, también unido al Estado.

Esta convivencia, entre los incipientes estados latinoamericanos y la Iglesia Católica dificultaba la llegada de los primeros protestantes, sean de las iglesias de trasplante o misioneras. Estas iglesias que vivieron ese primer tiempo prepararon, con el apoyo de algunos líderes políticos, el terreno para la llegada del cristianismo protestante al continente.

Tuvieron que luchar por el reconocimiento de los derechos civiles que las sociedades latinoamericanas estaban comenzando a conquistar. La localización social de estas iglesias era mayoritariamente en las clases medias y en menor grado en los sectores de la burguesía. Conquistaron el derecho de ir y venir, de celebrar, comprar terrenos y construir sus templos, realizar el trabajo pastoral en los hospitales, cárceles, calles;

conquistaron el derecho de enterrar a sus difuntos en cementerios dignos y no en lugares como cerros o quebradas. Estas conquistas prepararon el terreno para que en las Cartas Constitucionales de nuestros países se incluyera la separación iglesia Estado y la igualdad religiosa.

Las iglesias de trasplante y misioneras tuvieron que enfrentar el monopolio católico, luchar por los derechos civiles y por su reconocimiento social. El pentecostalismo, por su vez, se benefició de estas conquistas alcanzadas por sus antecesores, aun cuando su camino, muchas veces en confrontaciones directas con la Iglesia Católica, lo hizo teniendo como destinatarios preferenciales de su mensaje y acción a los sectores pobres y marginados de la sociedad latinoamericana.

Habiéndose instalado en el continente el protestantismo en un primer momento, y posteriormente el surgimiento del pentecostalismo, estos modificaron el cuadro religioso, contradiciendo el acuerdo de la Conferencia Misionera Mundial realizada en Edimburgo hace justamente un siglo, y respaldando la decisión del Congreso de Panamá celebrado en 1916.

En el caso del pentecostalismo latinoamericano y chileno, ya centenario, se ha constituido en una experiencia religiosa con importante presencia en la sociedad chilena y de referencia latinoamericana. Desde el punto de vista sociológico, se le identifica como el fenómeno religioso de mayor crecimiento y presencia en los sectores populares del país.

Es notorio que el pentecostalismo, como movimiento que atrae a grandes masas, es objeto de depurados estudios en el ámbito de las ciencias sociales, pasando por la sociología, antropología y psicología. Hay una riqueza y preocupación interdisciplinar en torno al tema. Sin embargo, en el aspecto histórico y teológico aún son escasos los estudios que hay al respecto quedando mucho camino por recorrer.

Cuando iniciamos la lectura de cada uno de los seis estudios que componen *Entre Cronos y Kairós: Estudios históricos y teológicos sobre pentecostalismo latinoamericano*, nos llamó la atención el lenguaje fresco, actualizado e inclusivo en el abordaje de cada uno de los temas. Al ir avanzando en su lectura, podemos darnos cuenta que cada estudio en sí es un tema aparte, específico, pero que apunta hacia un objetivo común, formando parte de un cruzamiento mayor de análisis sobre el pentecostalismo.

Pero por otro lado, hay un aspecto interesante que deseamos

destacar, es que cada estudio anterior ya nos va anticipando una palabra, un concepto o un nombre clave, de lo que será el próximo estudio.

Hay un hilo conductor que nos permite estar conectadas/os a lo que se quiere transmitir y anticipar, como una forma de mantenernos atentas/os especialmente a la hora de llamarnos a los desafíos del pentecostalismo. Me pareció muy interesante esta propuesta métodológica de sus autores.

Los temas abordados son de interés tanto para quienes deseen profundizar sobre el pentecostalismo como para quienes ya tienen una larga trayectoria de investigación sobre el tema, aportándonos datos nuevos de manera creativa; apuntando desafíos y confrontando algunas tesis "clásicas" sobre el pentecostalismo, lo que denota seriedad y rigor científico de sus investigaciones.

De esta manera, la obra contiene seis estudios sabiamente organizados entre lo histórico y teológico, pasando por conceptos sociológicos y litúrgicos. En el primer estudio titulado *"Hermosa ciudad donde no habrá lágrimas ni sol": Estudio histórico del pentecostalismo en el contexto urbano de Santiago de Chile en el período de 1950 a 1970*, Angélica Barrios menciona que su intención es analizar algunos rasgos de comportamiento del movimiento pentecostal en la ciudad de Santiago de Chile en el período de 1950 a 1970, considerándolo como fenómeno urbano en que sus miembros se ven enfrentados a las variables de la metropolización.

En "*Metamorfosis sagrada:* Apuntes socio-teológicos sobre algunas concepciones urbanas y arquitectónicas en el pentecostalismo", Daniel Chiquete nos provoca diciendo que la arquitectura es siempre más que construcciones. Es la acción del ser humano sobre su entorno para generar o transformar los diversos espacios que necesita para el desarrollo de la vida. Su propuesta del tema es compartir algunos apuntes respecto a la relación entre el mundo social y la visión teológico-religiosa del pentecostalismo, y sobre la incidencia de este binomio en la comprensión pentecostal de la arquitectura y el urbanismo.

"Teo-odisea cantada: Vida e imaginario del creyente pentecostal a través de sus cánticos" es el tercer estudio. En las propias palabras de su autora, la intención de este trabajo se enfoca a comprender la función de los "coritos" dentro del culto pentecostal chileno y analizar los elementos imaginativos que subyacen en su contenido textual, como también explorar el significado de esos componentes en la experiencia religiosa de

los creyentes.

Nuevamente, Daniel Chiquete nos hace la siguiente provocación diciendo que le parece importante señalar que el pentecostalismo, aunque nacido con el siglo XX, tiene una larga prehistoria que al menos comprende los siglos XVIII y XIX. Para esto su estudio "*Montanismo y pentecostalismo:* Dos perturbadores y necesarios movimientos del Espíritu en la historia del cristianismo" se encargará de demostrarlo.

El tema del estudio cinco trabajado por Angélica Barrios nos parece una excelente antesala de lo que desde la historiografía contemporánea se está ya realizando. Es el rescate de la figura de las mujeres y su aporte a los procesos de los movimientos, en este caso, al pentecostalismo chileno. "*Elena Laidlaw, la 'hermana Elena':* Elementos originarios de identidad del pentecostalismo chileno presentes en la figura de una mujer controversial", a través del estudio de esta mujer, la autora se propone comprender ciertos elementos claves que dieron origen a la religiosidad pentecostal en Chile.

Por último, tenemos el estudio seis presentado por su autor en el contexto de la Jornada Teológica de CETELA/2009 "*Experiencia pentecostal e interculturalidad:* Por una educación teológica encarnada en Latinoamérica", desafiando a las instituciones teológicas de América Latina a abrir sus puertas al mundo pentecostal.

El tiempo oportuno

Nuevos gestos, nuevas miradas... Nuevos y nuevas protagonistas están entrando en escena, preocupándose por la contribución de nuevos abordajes e instrumentos de investigación, ofreciéndonos alternativas para quienes estamos continuamente lidiando con ellas.

Agradecemos a Angélica Barrios y a Daniel Chiquete por su trabajo comprometido en beneficio de las/os investigadoras/es de las ciencias de la religión y del pentecostalismo, específicamente, ofreciéndonos lecturas renovadoras y actualizadas.

Entre Cronos y Kairós, entre la tierra y el cielo, entre la teología y la historia vamos construyendo nuevos paradigmas. Entre la experiencia que parte de un hombre mexicano y la de una mujer chilena se van tejiendo raíces fuertes y sólidas de lo que se está produciendo al respecto del estudio del pentecostalismo latinoamericano.

Sólo me he limitado a adelantarles algo sobre estos estudios que he mencionado, pues quiero invitarles a que descubran a través de la lectura minuciosa de estas páginas que hay entre Cronos y Kairós.

¡Buena lectura!

Cecilia Castillo Nanjarí
Teóloga y pastora chilena

Estudio 1

Hermosa ciudad donde no habrá lágrimas ni sol. Estudio histórico del pentecostalismo en el contexto urbano de Santiago de Chile en el período de 1950 a 1970

Angélica Barrios

1. Introducción

En el trascurso del siglo XX y lo que va transcurrido del XXI las ciudades latinoamericanas han experimentado profundas transformaciones urbanas e importantes procesos históricos que han ido de la mano con los rumbos de la sociedad tanto en sus acciones como en sus ideologías. El movimiento pentecostal chileno, a su vez, en su calidad de fenómeno religioso, es un hecho urbano que se gesta, entre otras determinantes, como una respuesta social y simbólica a la experiencia de habitar la ciudad. Las condiciones urbanas y las experiencias religiosas en la ciudad son elementos que se relacionan, afectan y se determinan mutuamente, en mayor o menor medida.

A través del presente estudio se pretende analizar algunos rasgos de comportamiento del movimiento pentecostal en la ciudad de Santiago de Chile en el período de 1950 a 1970, considerándolo como fenómeno urbano en que sus miembros se ven enfrentados a las variables de la *metropolización*, observando las formas simbólicas que se desarrollan en torno a la subsistencia general y que le otorgan una fisonomía particular a este movimiento religioso.[1]

Nuestra hipótesis es que el movimiento pentecostal chileno enfrentó el proceso de metropolización configurando un concepto de ciudad apartado de los signos que propagaba el desarrollismo desde los estratos de poder político partidista y económico, confrontándolo con uno que fortalecía la comunidad como espacio de acción social y política, aun

---

[1] La mayoría de los estudios sociales desarrollados sobre el movimiento pentecostal chileno enfatizan el impacto del crecimiento que esta religiosidad ha ejercido sobre la sociedad chilena durante el siglo pasado. Sólo el teólogo e historiador chileno Juan Sepúlveda ha planteado una perspectiva inversa que ha posibilitado evaluar la influencia de las transformaciones sociales en el comportamiento del movimiento pentecostal. De cierto modo, ese también es nuestro objetivo, esta vez circunscrito a las variables de la ciudad como generadora de cambios en el curso del movimiento pentecostal chileno.

cuando no era plenamente consciente de ello, que otorgó las herramientas simbólicas para enfrentar la problemática vivencial de los sujetos populares en su lucha por integrarse a la vida urbana.

La ciudad ideada por los pregoneros de la modernidad nada tuvo que ver con la dura realidad que el sujeto popular vivía en sus márgenes urbanos y sociales. Los pentecostales, como peregrinos y peregrinas de una ciudad descarnada y contradictoria, trabajaron por habitar una ciudad incorruptible y eterna de acuerdo a su ideario religioso, ideario que paralelamente también valió para restituir las herramientas simbólicas y normativas que posibilitaron habitar e integrarse a la ciudad real, y hacer de los individuos ciudadanos con conciencia de dignidad.

El arraigo logrado por el pentecostalismo durante ese período se percibe en la imagen urbana de la ciudad y sus habitantes. En cada cuadrante de una población periférica de Santiago es posible encontrar un templo pentecostal erigido y organizado por su comunidad, casi como un elemento consuetudinario del paisaje urbano.

El enfoque historiográfico de la Historia Cultural Urbana[2] en su proximidad con la microhistoria posibilitó herramientas metodológicas favorables a este trabajo, como el lente y perspectiva de observación y el tratamiento de fuentes no convencionales, que incluyeron cantos litúrgicos, testimonios de vida y entrevistas orales, además de revistas eclesiásticas del período.[3]

En esta perspectiva historiográfica el historiador argentino José Luis Romero con su obra *Latinoamérica: las ciudades y las ideas*[4], nos proporciona una visión de la ciudad que descansa sobre la comprensión de la *sociedad urbana* como promotora de transformaciones y autonomía respecto a las europeizadas ciudades latinoamericanas que se fueron desentendiendo del modelo colonial español hasta convertirse en las masificadas ciudades del siglo XX. Los centros urbanos hispánicos en América fueron fundados sobre la homogeneidad con el fin de crear la forma más perfecta de sociedad, sin embargo, durante el siglo XX la ciudad de masas coexistió bajo un desarrollo heterónomo donde la

---

[2] A. Almandoz, Notas sobre Historia Cultural Urbana: Una perspectiva latinoamericana, en: www.etsav.upc.es/urbpersp. Consultado el 15 de noviembre de 2008.

[3] Para esta investigación fueron revisadas cuatro revistas eclesiásticas, tres de ellas correspondientes a iglesias pentecostales [Iglesia Evangélica Pentecostal: *Fuego de Pentecostés* (1950-1970); Iglesia Metodista Pentecostal de Chile: *Chile Pentecostal* (1950-1970); e Iglesia de Dios Pentecostal: *Despertar* (1956-1970). Y otra remitida por la orden católica Jesuita: *Mensaje* (1951-1970)].

[4] J. L. Romero, *Latinoamérica. Las ciudades y las ideas.* Argentina: Editorial Siglo XXI, 4a. edición, 1986.

sociedad y sus horizontes fueron completamente imprecisos. La comprensión de la ciudad se vuelve así más compleja, pues se toman en cuenta nuevas variables.

En sentido cercano a Romero el historiador chileno Armando de Ramón plantea como preponderante en el estudio de la ciudad de Santiago de Chile lo siguiente[5]:

> La mejor manera de producir un relato "coherente" de Santiago hasta nuestros días no es otra que la de privilegiar la historia de la sociedad urbana. Ella sí tiene continuidad y se reconoce claramente en los siglos pasados. La historia de las calles y plazas, grandes edificios y paseos, tendrá que convertirse en el telón de fondo, como en las obras teatrales, mientras que los habitantes de la ciudad, sus clases sociales, sus desplazamientos, sus miserias y grandezas, han de pasar a ser los actores principales que atrapan la atención del público.[6]

Y es indudable que los y las pentecostales de Santiago entre la década de 1950 y 1970 fueron un actor social más de la ciudad, actor que se empapó y reaccionó a sus cambios, que intervino desde su subjetividad religiosa como, también, desde la lucha por la subsistencia diaria.

1.1 El pentecostalismo y su vinculación con lo urbano

A mediados de la década de 1960 un sacerdote católico comparaba el raudo crecimiento del pentecostalismo en la sociedad chilena con una "salida de mar"[7], expresión alegórica que también valdría para ejemplificar el fenómeno de expansión urbana de Santiago en el siglo XX. Ambos procesos, pentecostalismo y metropolización, fueron verdaderas explosiones que en su esencia diferenciada y particular lograron interactuar entre sí dejándose influenciar mutuamente.

De acuerdo al estudio realizado por el sociólogo Christian Lalive D'Epinay[8], el pentecostalismo es un movimiento religioso que no se caracteriza por ser eminentemente urbano ni rural, sino que manifiesta cualidades mixtas en su desplazamiento. Sin embargo, desde nuestra perspectiva es considerado un fenómeno urbano desde el momento en que la conducta del imaginario religioso y sus feligreses se ve sometida a

---

[5] A. de Ramón, *Santiago de Chile (1541-1991)*. Chile: Editorial Sudamericana, 2000, p. 198.

[6] A. de Ramón, *Santiago de Chile (1541-1991)*, p. 198.

[7] Esta expresión fue consignada por Ch. Lalive d'Epinay, La conquista pentecostal en Chile. Elementos para su mejor comprensión, en: *Mensaje*. Santiago: 1968, No.170, págs. 287-293, p. 289.

[8] Ch. Lalive d'Epinay, *El refugio de las masas*. Chile: Editorial del Pacífico, 1968.

los influjos de la ciudad, y esta influencia marca definitivamente su perfil eclesiástico y social.

Desde sus orígenes, la obra pentecostal fue sostenida financieramente con los recursos de los propios miembros, sin vínculo o ayuda de sociedades misioneras extranjeras. Además fue organizada y conducida por líderes nacionales sin una educación teológica formal. Estas variables de autonomía fueron observadas por Lalive d'Epinay como una "verdadera revolución", llave del éxito que el pentecostalismo habría de alcanzar entre los sectores populares en el transcurso del siglo XX.[9]

La constitución de cada comunidad pentecostal está erigida sobre el acervo social y cultural de sus miembros, habitantes de un espacio determinado o, muchas veces, indeterminado y múltiple: así hubo cultos organizados entre los campesinos de las haciendas, areneros del río Maipo, mineros del carbón y habitantes de la ciudad. El jesuita Ignacio Vergara explicaba en los inicios de la década de 1960 algunas de las fortalezas del pentecostalismo entre la población nacional respecto al trabajo evangelístico desarrollado por otras denominaciones protestantes:

> Los pentecostales forman el grupo más nacional y más sacrificado de todos nosotros. Se puede dar una explicación psicológica de esto: las antiguas organizaciones como la de los metodistas y presbiterianos que se establecieron en Chile hace ya más de 50 años, por haberse dedicado más bien a escuelas y a la educación no se han puesto en contacto con la parte más baja del pueblo analfabeto, entre la cual los pentecostales hacen risa.[10]

En el contexto del proceso de metropolización de Santiago el creyente pentecostal se enfrentó a lo urbano a partir de tres aproximaciones, ya sea como una ciudad real y habitada, o como idealizada, y, por último, como resignificada. A continuación se presenta una síntesis de estas condiciones que se disponen como una composición del imaginario pentecostal sobre lo urbano.

1.1 La ciudad como espacio real

La ciudad de Santiago fue el espacio más urbanizado, moderno y centralizado del siglo XX en Chile. Como un potente imán atrajo a miles de personas desde los campos, quienes bajo la supremacía de la

[9] Ch. Lalive d'Epinay, *El refugio de las masas*, p. 288.

[10] I. Vergara, *El protestantismo en Chile*. Chile: Editorial del Pacífico, 1961, p. 117.

modernidad y las aspiraciones de un porvenir más auspicioso estuvieron dispuestas a abandonar el lugar que por generaciones había sido su contexto vital.

La experiencia de los pentecostales en el proceso de habitar la ciudad fue correlativa a la que vivieron los sectores populares del período, quienes desde los márgenes debieron recurrir a múltiples recursos e ingenios para subsanar con precariedad las dificultades de la subsistencia a través de un trabajo, vivienda y salud. Desde esa condición, el pentecostalismo se presentó como una alternativa reparadora de bienestar material, social y simbólico.

El trabajo evangelístico de las comunidades pentecostales establecidas en la ciudad durante la explosión demográfica fue muy prolífico en los barrios y rancheríos fundados por inmigrantes recientemente incorporados a la ciudad. El avance del pentecostalismo, percibido en la conformación de comunidades y edificación de templos, asume la misma tendencia de crecimiento que la ciudad, asentándose con éxito entre los barrios más pobres de la urbe.

La migración fue un factor de crecimiento para el movimiento pentecostal chileno, y no únicamente por la oferta de refugio e integración que presentaba a los nuevos individuos urbanos, sino también gracias a aquellos creyentes pentecostales que se trasladaron de lugar, generalmente por razones de trabajo, y desarrollaron una labor evangelizadora que posibilitó la constitución de pequeñas congregaciones y futuras iglesias.[11]

1.1.2 La ciudad como un espacio imaginado

Entendemos por *espacio imaginado* el construido en la experiencia de sus habitantes. Es la forma de percibirlo, reconstruirlo mental o emocionalmente y relacionarse con él desde la subjetividad.

La metropolización de la ciudad de Santiago provocó un fenómeno que invirtió el patrón de imposición que diagnosticara el uruguayo Ángel Rama para la ciudad latinoamericana: "El orden de los signos imprimió su potencialidad sobre lo real, fijando marcas, si no perennes, al menos tan vigorosas como para que todavía hoy subsistan y las encontremos en

---

[11] L. Orellana, *El fuego y la nieve. Historia del movimiento pentecostal en Chile: 1909-1932*. Concepción, Chile: CEEP Ediciones, 2008, p. 108.

nuestras ciudades."[12] En el caso del pentecostalismo, los signos de la ciudad real fueron más gravitantes que los otorgados por la ciudad ideal y su discurso modernizante, contribuyendo a diagramar una visión de ciudad un tanto lejana del Santiago del período de 1950 a 1970. Es decir, las dificultades de la vida urbana impidieron la idealización de la ciudad real, expresada en el discurso oficialista, y los pentecostales remitieron sus esperanzas a una ciudad celestial.

El movimiento pentecostal, como una religiosidad social y culturalmente constituida por los sectores populares, interpretó la ciudad de acuerdo a las vivencias que sus miembros tenían en ella, y así la descubrió como una falsa promesa de progreso y bienestar. Las imágenes del espacio que podemos recoger de los cánticos pentecostales se rigen por una lógica dual. La idea de la presencia de Dios permanece en los elementos de la naturaleza: cielo, estrellas, flores, montañas. Son recursos imaginativos del campo o de la vida del campesinado, contraponiéndose a las negativas imágenes de la ciudad, donde el pentecostal, como sujeto social, ha vivido generalmente el hacinamiento y la miseria. Para el creyente pentecostal, en el campo reside la creación inalterada de Dios, mientras que la ciudad es una obra artificiosa del ser humano. El primero es puro, la segunda pecaminosa. La ciudad es el "mundo", que atrae con sus luces hacia el encantamiento, pero ofrece incertidumbre, soledad y abyección en sus placeres.

La ciudad ideal o imaginada del pentecostalismo está configurada principalmente en la evocación de dos motivos bíblicos: la Nueva Jerusalén descrita en Apocalipsis 21 y el Reino de Dios proclamado en los evangelios.[13] La primera referencia habla de una ciudad amurallada donde habitará Dios con su pueblo fiel. Sus paredes son de piedras preciosas, las calles de oro y el mar de cristal. Ahí no habrá necesidad de templo ni sol porque Dios es el templo y Jesucristo su lumbrera. No hay noche ni tristeza, sólo júbilo por la eternidad. En tanto, el "reino de Dios" predicado por Jesús se fundamenta en la justicia, la santidad y la fraternidad entre las personas. Es un reino donde se enfatizan más las nuevas relaciones y valores humanos que los espacios físicos.

---

[12] Á. Rama, *La ciudad letrada*. Uruguay: Comisión Uruguaya Pro Fundación Ángel Rama, p. 56.

[13] D. Chiquete, Metamorfosis sagrada: Apuntes socio-teológicos sobre algunas concepciones urbanas y arquitectónicas en el pentecostalismo, en: *Si somos americanos*. Revista electrónica de Sociología de la Universidad Arturo Prat. Iquique: 209.

Gladys Benavides, 68 años, creyente pentecostal, asociaba respecto a la ciudad de Santiago en su juventud:

> Yo me impresionaba como crecía la ciudad de Santiago, con unos tremendos edificios, hospitales, mucho comercio. (...) Pero en la ciudad de los cielos no habrán cárceles, cementerios, hospitales. Porque allá no habrá maldad ni tristeza ni sufrimiento ni muerte. Porque todo será alegría al lado de nuestro Señor.[14]

La religiosidad pentecostal genera puentes de sentido entre la realidad simbólica y la material. La ciudad real, en nuestro caso Santiago, en la visión de los pentecostales es una que restringe, niega y avergüenza. Por ello es que en su imaginario religioso la intercambian por otra en el más allá que promete riquezas, seguridad y reconocimiento.

1.1.3 La ciudad como espacio resignificado

El sociólogo Christian Lalive d'Epinay interpretó al movimiento pentecostal como un "refugio de las masas" para los sectores "dominados" de la sociedad, afirmando que representaba para ellos la única salida ideológica a la necesidad de recuperar la dignidad humana. Hipotéticamente, aquella condición de refugio se vería alterada cuando se presentaran otras posibilidades a las clases bajas que forman el substrato de este movimiento religioso.[15] Efectivamente, la comunidad pentecostal se comportó como un refugio para aquella población en tránsito que trataba de incorporarse a la ciudad. Las condiciones religiosas y de creencia, con su fuerte acento milenarista, se vieron fortalecidas por los desaciertos de los arribados a la gran urbe. Ciertamente, durante la fase histórica de los años 1950 a 1970 es imposible comprender el pentecostalismo como un fenómeno religioso estático e inmune a los dispositivos discursivos y las condiciones materiales de la metrópolis. Los y las pentecostales no sólo perciben la condición de "pecado" de la ciudad, sino que creen poder contribuir a su "santificación", lo que podría traducirse como la creación de espacios de bienestar a pesar de las condiciones citadinas adversas. Es aquí cuando se hace coherente para una comprensión del fenómeno el concepto de "metamorfosis sagrada" planteado por el teólogo Daniel Chiquete:

---

[14] Gladys Benavides, 68 años, La Ligua, Chile. Entrevistada por A. Barrios en junio de 2009.

[15] Ch. Lalive d'Epinay, "Sociedad dependiente", "clases populares" y milenarismo: Las posibilidades de mutación de una formación religiosa en el seno de una sociedad en transición. El pentecostalismo chileno. *Cuaderno de la Realidad Nacional*. Chile: 1972. No.14, págs. 96-112.

> Por ello considero que el pentecostalismo tiene una experiencia muy propia de lo urbano, como espacio que puede experimentar un cambio en su identidad ontológica: que puede ser "santificado", y en cuyo proceso de santificación los creyentes pentecostales son los principales instrumentos de Dios para hacerlo. Ellos se sienten partícipes de una especie de "metamorfosis sagrada" de los espacios urbanos y arquitectónicos.[16]

La conversión experimentada por un hombre o una mujer al interior de la comunidad pentecostal posibilita un cambio de percepciones y sentidos sobre su historia de vida y los espacios con los que se relaciona. El plano simbólico del espacio asume un significado de acuerdo a la categoría dual del bien y el mal: taberna, estadio y cine, por ejemplo, son lugares demonizados por la conciencia pentecostal, mientras que el templo o lugar de reunión de los fieles se constituye en un signo de sacralidad. El espacio urbano circundante con sus calles, edificios, gente e instituciones también puede ser santificado por la comunidad religiosa, casi por "ósmosis espiritual".

Así como este, y muchos otros casos, se vive la experiencia de la conversión y la resignificación del espacio:

> Tenía 15 años. Y entonces se efectuó una obra en mí, sentí un arrepentimiento, me puse a llorar, y pedí a Dios que perdonara mi pecado y transformara mi vida. Y yo sentí una voz que me habló y me dijo: "Tus pecados te son perdonados", y en el mismo instante mi vida cambió absolutamente, de tal manera que al salir al templo tenía la impresión que todo había cambiado, las calles, los árboles, eran distintos. Era un barrio muy pobre, casas viejas, las calles sin pavimentar. Pero para mí todo era nuevo, todo estaba transformado.[17]

Ante los desafíos que presentaba la vida urbana entre los años 1950 a 1970, nos interrogamos: ¿Qué sucede con las ofertas de la ciudad? ¿Primó en el pentecostalismo de Santiago una participación inclusiva milenarista o una actitud interventora y reformadora de su espacio? ¿Continuó la comunidad pentecostal siendo un "refugio de las masas" o fue un medio de integración que facilitó e incluyó a los individuos a la vida urbana? Son interrogantes que pretendemos responder en las siguientes páginas.

---

[16] D. Chiquete, Metamorfosis sagrada, p. 10.

[17] Ch. Lalive d'Epinay, *El refugio de las masas*, p. 81.

2. ¿Desarrollo?: Los efectos de la industrialización sobre la ciudad y el pentecostalismo (1950-1960)

2.1 El Modelo ISI y su discurso de desarrollo en la ciudad

La crisis económica de 1929 fue gravitante en el curso de la historia de América Latina y Chile: el gran deterioro de las exportaciones del salitre obligaron al gobierno y a la clase dirigente a buscar nuevas líneas económicas que posibilitaran una salida razonable al violento impacto que experimentaron el dinamismo económico y todas las aristas de la vida nacional. Como medida reparadora se impuso la industrialización como instrumento principal del nuevo paradigma económico.[18] La implantación de un modelo Industrializador Sustitutivo de Importación (ISI) tomó efecto con la creación de la Corporación de Fomento a la Producción (CORFO) en el año 1939, constituyéndose en la institución rectora del rumbo económico del país hasta el año 1973.

El Estado a través de la CORFO asumió el rol de presidir y estimular el crecimiento de la industria nacional. De ahí nació la conceptualización de un "Estado empresario". No obstante, en su responsabilidad de ser el promotor de desarrollo armónico de todos los rubros productivos del país también se propuso mejorar los niveles de vida de la población, adquiriendo cada vez un papel más protagónico en las responsabilidades sociales de la nación. El carácter del Estado como "benefactor" se hizo ver en la gran inversión del gasto público que entre los años 1930 y 1950 llegó a triplicarse en aras de ampliar los beneficios de vivienda, salud, previsión y educación.

El historiador Armando de Ramón reconoce en el período 1938-1973 una verdadera república donde las libertades y los derechos de las personas fueron una realidad sentida y ejercida en todos los sectores del país: "[P]ensamos que esta etapa constituye el periodo histórico que, aunque teniendo muchos defectos y carencias, estuvo más cerca de la definición clásica de 'República', es decir, la forma de gobierno de los pueblos emanada de la plena participación popular, supremo ideal de todos los tiempos."[19]

Las ciudades fueron el escenario del nuevo orden de desarrollo e

---

[18] S. Correa y otros, *Historia del siglo XX chileno. Balance paradojal*. Chile: Editorial Universitaria, 2001, p. 140.

[19] A. de Ramón, *Historia de Chile. Desde la invasión incaica hasta nuestros días (1500 -2000)*. Santiago de Chile: Catalonia Ltda. 2006, 4a. edición, p. 119.

industrialización preconizado desde la década de 1940. Las altas edificaciones y la instalación de instituciones burocráticas al interior de sus perímetros se disponían como señales de progreso y modernidad para la población. El modelo económico de desarrollo también introducía una nueva forma de vida urbana, influenciada por el estilo norteamericano (el "American Way of Life") importado a través del cine y las revistas, que asignaban el modelo de familia nuclear y convivencia centrada en la vivienda, contraponiéndose a los tradicionales vínculos de la familia ampliada. Apunta Sofía Correa: "En efecto, la casa propia se convirtió en el símbolo de la felicidad, en el espacio por excelencia para dar vida a un proyecto familiar idealizado."[20]

Nada parecía poner en riesgo la institucionalidad que se erigía con tanto optimismo. Sin embargo, síntomas de agitación movieron los fundamentos que habían dado luz al megaproyecto nacional de los años 1930 a 1940. Entre ellos, una explosión demográfica no premeditada de la ciudad de Santiago que denostó con la crudeza de sus márgenes y la necesidad de sus habitantes la capacidad de un Estado que se proclama sobre el desarrollo.

Entre 1930 y 1950 la ciudad de Santiago presentaba la tasa más alta de urbanización de la historia moderna[21], provocada por una población proveniente de diversas partes del país que intentaba involucrarse en la ciudad. Ahí, el tema de la vivienda comenzó a ser el primero de los grandes problemas que la masa ambulante le enrostró al gobierno y a la sociedad urbana establecida.

Sólo el centro de la ciudad, es decir, la comuna de Santiago, no vio crecer su población, pero sí la consolidación de sus barrios como centro administrativo y comercial. En tanto, las comunas que le rodeaban crecieron de manera descontrolada llegando algunas, como Quinta Normal, San Miguel y Ñuñoa a quintuplicar su población sólo en dos décadas.[22] Según el censo de 1952, de las 17 comunas de Santiago sólo dos mantenían un carácter rural.

---

[20] S. Correa y otros, *Historia del siglo XX chileno*, p. 152.

[21] A. de Ramón, *Santiago de Chile (1541-1991)*, p. 241, afirma que según un estudio de la Universidad de Chile, entre 1907 y 1960 emigraron a Santiago una población cercana al millón de habitantes, fenómeno que alcanzó su máximo nivel entre 1930 y 1950.

[22] La ciudad se expandió hacia el oriente por efecto de las clases medias (Condes, Providencia y Ñuñoa); hacia el norte por la ocupación de las clases bajas (Conchalí, Renca); hacia el occidente por acción de las clases media y baja (Barrancas, Pudahuel, Quinta Normal): hacia el sur también fue ocupado por las clase media y baja (San Miguel, La Cisterna y La Granja). A. de Ramón, *Santiago de Chile (1541-1991)*, p. 32.

La incapacidad de los conventillos, antiguas viviendas populares ubicadas en el centro de la ciudad, para albergar a tal cantidad de personas incentivó a la muchedumbre desesperada a levantar viviendas improvisadas de desechos en terrenos tomados sin autorización dando origen a las denominadas *poblaciones callampas.*[23] La toma ilegal de terrenos ya era una práctica muy antigua en la historia de la ciudad, pero no al nivel que aconteció a partir en la década de 1950 y principios de la de 1970.

La ciudad de Santiago de la década de 1950 no puede ser entendida fuera de las transformaciones urbanas que implicó la consolidación del modelo ISI. Por un lado estas transformaciones se encaminaron a poner en evidencia planes auspiciosos de desarrollo, pero por otro, contribuyeron inconscientemente a develar la negativa realidad que cargaba la sociedad chilena. El espacio urbano moderno se convirtió en un juego de naipes, para unos destinaba éxito y progreso, mientras que para otros determinaba la exclusión y la pobreza. Pequeñas ciudades dentro de una mayor parecían convivir en un diálogo de antagonismos, segmentadas por el espacio, la condición social y el ideario de desarrollo que cada cual veía para sí misma.

2.2 Las comunidades pentecostales y su desenvolvimiento en la ciudad de Santiago durante la década de 1950

Una condición reconocida en el pentecostalismo chileno es su tendencia a la fragmentación como parte de su historia y razón de crecimiento. La constante proliferación de comunidades que nacen del desprendimiento de una anterior se halla generalmente ocasionada por conflictos de liderazgo y, en pocos casos, por diferencias doctrinarias. Esto ha incidido en que cada una de las nacientes iglesias se manifieste como una reproducción institucional y teológica similar a su comunidad matriz, otorgando un patrón de homogeneidad en la idiosincrasia del movimiento pentecostal chileno.

Las tres iglesias pentecostales observadas para este estudio son la Iglesia Metodista Pentecostal de Chile, Iglesia Evangélica Pentecostal e Iglesia de Dios Pentecostal.

La Iglesia Metodista Pentecostal de Chile (IMP) y la Iglesia Evangélica Pentecostal (IEP) provienen de la misma tradición originaria:

---

[23] Las *poblaciones callampa*, son llamadas así por la futilidad del material de sus viviendas –desechos de madera, latas y cartones– y rapidez con que emergían.

el avivamiento de 1909. Ciertamente, esta última nació jurídicamente a raíz de un conflicto de liderazgo ocasionado el año 1933 entre el pastor chileno Manuel Umaña y el norteamericano Willis Hoover, máximo representante de la misión y protagonista en el origen del movimiento pentecostal. El conflicto dividió al pastorado y a los fieles, y por interpelación de la justicia la facción de Manuel Umaña quedó con la personalidad jurídica y nombre de la antigua corporación religiosa, mientras que W. Hoover junto al grupo que lo apoyaba se hicieron llamar *Iglesia Evangélica Pentecostal* (IEP). A partir de ese momento, cada una de las denominaciones continuó un rumbo independiente, pero similar en muchas de sus prácticas.[24] Ambas, aún en la actualidad, son exponentes de un pentecostalismo nacional clásico, y constituyen la fuerza numérica evangélica más predominante del país.

La Iglesia de Dios Pentecostal (IDP) es más reciente respecto a las anteriores, con origen en el año 1951, como resultado de una escisión provocada al interior de la IEP a razón de ciertas diferencias entre Arturo Espinoza, pastor de la congregación de Ñuñoa, y el directorio de la institución. Competencia de liderazgo y acusaciones en contra de Espinoza, llevaron a este pastor a renunciar y junto a varios otros miembros y pastores a formar una nueva denominación. La impronta de la IDP es bastante similar a la de la IEP, pero con tendencias de comportamiento más renovadoras de acuerdo a la época, otorgando un especial impulso al trabajo juvenil y a las campañas de sanidad y captación de adeptos, lo que le valió, junto al alto número de miembros que extrajo de su antecesora, un rápido e impresionante crecimiento en pocos años, llegando a tener una amplia jurisdicción sobre el país, en especial en la ciudad de Santiago.

En 1950, a cuarenta años del origen del pentecostalismo en Chile, ya existían decenas de denominaciones pentecostales distribuidas por todo el país, incluso con misiones establecidas en el extranjero. En las décadas de 1930 y 1940 habían llegado a Chile misiones igualmente carismáticas provenientes del exterior, particularmente de Estados Unidos, entre ellas las Asambleas de Dios Autónomas de origen sueco (1937), Asambleas de Dios (USA, 1942), Iglesia Cuadrangular (Foursquare, 1945), Iglesia de Dios (1950). Pero ninguna de ellas fue a corto plazo reconocida como una iglesia pentecostal según el patrón nacional, por ciertas diferencias en el orden de la liturgia y por su adaptación en las clases medias y no en las

[24] El aspecto que más diferencia a la IMP de la IEP es el uso de instrumentos musicales, los cuales fueron incorporados a la vida litúrgica y evangelística en la década de 1930. La IEP, influenciada por el liderazgo de Willis Hoover, prefirió mantener la formalidad de los cultos metodistas.

capas socialmente bajas.

El pentecostalismo chileno ha recibido influencias exógenas que han sido más bien tardías, y en algunos casos han llegado a diversificar las tradicionales formas del pentecostalismo. Podríamos aseverar que el pentecostalismo chileno hasta la década de 1970 fue un movimiento religioso eminentemente nacional y autónomo casi en todas de sus expresiones.

2.3 Algunas consideraciones respecto al crecimiento

El crecimiento del pentecostalismo en el país va de la mano con el proceso de urbanización y expansión del modelo económico de desarrollo. En cada uno de los censos nacionales efectuados en la primera mitad del siglo el incremento de la población evangélica mostró claras tendencias al alza, las que se acentuaron con mayor fuerza a partir de 1930.[25] Según el censo de 1952 el número de evangélicos correspondía al 4,06% de la población nacional.

La indeterminación del instrumento de medición poblacional no permite diferenciar el tipo de denominación protestante concibiendo un todo homogéneo bajo la denominación de "evangélicos". Se ha constatado por otras fuentes que ya en el década de 1930 el número de pentecostales superaba al total de los miembros de las demás iglesias protestantes como metodistas, anglicanos, aliancistas, bautistas, luteranos, etc. Como afirmaba I. Vergara:

> Evidentemente no todos ellos han penetrado de la misma manera en el pueblo, ni avanzan con el mismo paso. Las que van a la vanguardia son sin lugar a duda, algunas ramas "pentecostales" tal vez por ser las que más han llegado a amoldarse a la idiosincrasia del pueblo sencillo.[26]

La población pentecostal en Santiago no era ni ha sido la más alta del país. Las cifras más elevadas las disputaban la zona de Arauco y Concepción. A pesar que no contamos con datos más antiguos, los pentecostales alcanzaban en la ciudad de Santiago el año 1958 el 4,0% de la población[27], una tendencia similar a la nacional en el mismo período

---

[25] Las cifras arrojadas por los Censos nacionales sobre la población evangélica en Chile son: 1920: 1.45%; 1930: 1.44%; 1940: 2.43%; 1952: 4.06%; 1960: 5.58%. Ver: R. Poblete y C. Galilea, *Movimiento pentecostal e iglesias católicas en medios populares*. Chile: Centro Bellarmino, 1984, p. 2.

[26] I. Vergara, Avance de los "evangélicos" en Chile, en: *Mensaje*. Chile: 1955. No. 41, págs. 257-262.

[27] R. Poblete y C. Galilea, *Movimiento pentecostal e iglesias católicas en medios populares*, p. 2.

(4,06%).

3. Ubicación en el espacio urbano de los templos pentecostales

La temprana autonomía del movimiento pentecostal chileno, a consecuencia de la separación de la Iglesia Metodista Episcopal en 1909, y su rápida definición milenarista se constituyeron en elementos que influyeron en su noción del espacio sagrado, asegurando que una iglesia la constituyen los miembros de la comunidad religiosa y no el templo o espacio físico que los alberga.[28]

Esta concepción es tan antigua como el movimiento religioso mismo. Los pentecostales creían y creen que la presencia de Dios es independiente de cualquier espacio físico. Esa es una razón de que crecían con rapidez en los barrios populares urbanos, donde prácticamente cada casa, bodega o taller podía ser usado para realizar actividades religiosas. Hay suficientes antecedentes históricos[29] que confirman que el pentecostalismo en sus primeros años y décadas de existencia no manifestó interés por establecer espacios litúrgicos para la adoración o encuentro con la divinidad. En cualquier lugar donde se encontrara la comunidad religiosa reunida se fundaba un espacio cúltico, ya fuera una casa, calle, plaza o el campo abierto.

El crecimiento del movimiento pentecostal en la ciudad de Santiago siguió la misma tendencia de la expansión urbana: los templos y congregaciones más antiguos quedaron instalados en el centro de la ciudad, mientras que una cantidad mayor fue proliferando en las emergentes poblaciones de las comunas más populosas. Esta tendencia se puede explicar en la noción del espacio, a la que recién referíamos, y al fuerte compromiso de evangelización que portan sus miembros. De este modo, el pentecostalismo creció y se arraigó en el hábitat de su propia feligresía. Lejos de ser un elemento importado tuvo la capacidad de sacralizar los mismos elementos del ambiente vital. El poblador se convirtió en el predicador, la casa en el templo, las calles de la población en el terreno de evangelización y los vecinos en congregantes. Los lazos de afecto y solidaridad al interior de la comunidad religiosa superaban a los previamente establecidos. El padre Ignacio Vergara comentaba sobre la influencia del creyente pentecostal en los barrios de Santiago:

---

[28] D. Chiquete, Metamorfosis sagrada, p. 5.

[29] La adquisición de templos de parte de la Iglesia pentecostal fue un proceso tardío que debió esperar años. Ver: L. Orellana, *El fuego y la nieve*, págs. 66-68.

> Además ese militante influirá entre sus vecinos de barrio (todos sabemos que en ambientes de gentes modestas el hogar es algo abierto y la vida social se realiza en la calle), entre los socios del comité, del equipo de fútbol, o entre los compañeros de trabajo. Hemos visto el celo con que un "evangélico" propaga sus creencias a veces con sacrificios heroicos.[30]

El estilo de propagación de las comunidades pentecostales fue coincidente con la dinámica de expansión de la ciudad de Santiago a mediados de siglo: sin planificación alguna ensanchó los límites de acuerdo a los nuevos espacios habitados.[31]

4. Discurso y acción sociopolítica del pentecostalismo en la ciudad de Santiago en la década de 1950

4.1 Discurso y visión sobre el presente

Todavía en la década de 1950 las iglesias pentecostales comparten una visión radicalmente pesimista de la realidad. Las luces del desarrollo no se mostraron como un camino auspicioso para los pentecostales, aun cuando comprometía a los sujetos a un mejoramiento de sus condiciones de vida. Desde la experiencia de vida del creyente pentecostal el presente fue dimensionado como una trampa de incertidumbres, quizás a veces auspiciosas, pero pronto reveladas como negativas y desfavorables para el individuo. El único vínculo certero era el refugio que proporcionaba la comunidad de los fieles y las promesas divinas a las cuales podía atenerse con mayor seguridad que a cualquier otro medio. Así lo declaraba un medio de prensa pentecostal del período: "Nada es estable en esta vida y todo cambia; por tanto, no hay nada en que podamos confiar y ponerlo como nuestra garantía en que apoyarnos."[32]

La drástica realidad a la que estaban sometidos los sujetos populares durante la década de 1950 se hace sentir en el testimonio de los fieles. Las fluctuaciones económicas y el encarecimiento de la vida fue una lucha diaria a la que tuvieron que resistir con grandes sacrificios, donde se impusieron nuevas necesidades de subsistencia, de índole urbana, que pusieron en cuestión los principios de fe de la tradición pentecostal alojados en la creencia de la permanente provisión divina. De esa manera

---

[30] *Mensaje*. Chile: 1955. No. 41.

[31] Las sección de "Direcciones de iglesias y locales" de las revistas pentecostales estudiadas permiten conocer las áreas de expansión de cada una de las iglesias.

[32] *El Despertar*. Chile: 1957. No. 28.

lo testimonia el siguiente párrafo:

> Las preocupaciones materiales, especialmente el alto costo de la vida, que atormenta al mundo en estos días, contamina en parte poca o mucha a los cristianos desapercibidos de las promesas, por el hecho de que también viven en el mundo (...). Pero suceda que si estamos preocupados del alimento de mañana, de cómo pagaremos la casa, de dónde saldrá la cuenta para el terreno, del traje o vestido, no obstante la clara promesa del Señor de que si tienen lo necesario los pájaros ¿cómo no tendremos nosotros?[33]

El discurso modernizante de la ciudad logró destellar sus influencias sobre las comunidades pentecostales a través de nuevos hábitos de vida, que fueron presurosamente contradichos por voces proféticas que intentaron poner un freno a tales prácticas:

> Estimados hermanos: hay que privarse de conversaciones frívolas, de melenas, vocaciones al cutis, demasiado exageradas. Privarse de ir a las Piscinas, Balnearios Públicos, donde el mundo tiene el placer de demostrar su desnudez; como igualmente vosotras mujeres no andarán ni asistirán con ropas demasiadas descotadas a las Iglesias.[34]

Así también las iglesias pentecostales se vieron acorraladas por la ambigüedad de las ofertas del contexto. El "progreso" reflejado en el ascenso social de los individuos a través de la educación y el empleo, garantizado por el carácter benefactor del Estado del período, fue una condición temeraria para las iglesias. Ciertamente el progreso puso en riesgo los pilares de una cosmovisión pentecostal fundada en una concepción radicalmente negativa de la realidad, alimentada por las magras experiencias vitales de sus miembros.

Tres aspectos resultaron ser un desafío de la modernidad a las iglesias pentecostales: la prosperidad económica, la educación y las propuestas renovadoras de un evangelio social. Con el solo hecho de enunciar las temáticas por las cuales las iglesias se vieron atemorizadas, podemos inferir lo distante que estaban, y quizás desconocedoras también, de los debates políticos, económicos y sociales contingentes que se desarrollaron durante el período. Sólo emitieron un juicio sobre lo que directamente incidía en ellas y su feligresía.

---

[33] *Chile Pentecostal*. Chile: 1948. No.16.

[34] *Chile Pentecostal*. Chile: 1955. No. 478.

4.2 El ascenso social

La cuestión del ascenso económico se presentó para las comunidades pentecostales como un arma de doble filo: comenzaba a generarse un choque de propuestas entre una visión milenarista trascendente, frente a otra que anclaba parte de sus expectativas en la tierra, en los procesos socio-políticos. No debemos olvidar que el crecimiento de las iglesias pentecostales en la ciudad devino en gran parte de los individuos que dejaron su antiguo hábitat y migraron en busca de una mejoría en sus condiciones de vida, por tanto, el deseo del ascenso social debió estar presente en las aspiraciones de los feligreses. Los canales al interior del pentecostalismo para alcanzar tales fines se comprendieron en el marco de una ética de austeridad y trabajo: el rechazo al consumo de tabaco y alcohol y a la socialización fuera de la iglesia. Esto contribuyó a la normalización del individuo en un orden social, moral y familiar que le dio las herramientas para desempeñarse positivamente en un trabajo y ver el fruto del mismo. El temor de las iglesias ante el emprendimiento y la riqueza se expresó del siguiente modo en un periódico pentecostal:

> Son muchos los pobres de la Iglesia que, habiendo llegado a ser ricos, los prendió el amor a las ganancias y, habiendo echado mano a las riquezas perdieron la gracia de Dios. Y esto es lo que no debe suceder, porque constituye una catástrofe y la pérdida de toda una vida.[35]

La prosperidad de algunos creyentes pentecostales ya era una realidad que no podía ser ignorada. Ellos eran advertidos para que el bienestar económico no se convirtiera en una causa de distanciamiento de la comunidad ni de la ética que en cierto momento habían aprehendido. Es el momento en que se instala en el discurso pentecostal una disyuntiva de sentidos a las que las propias comunidades pentecostales, aún en la actualidad, no han dado respuesta y se han dispuesto a caminar por rieles paralelos. ¿En dónde debe estar puesta la voluntad de los fieles, en la inminencia del fin de los tiempos o en el bienestar temporal; en la ciudad celestial o en la ciudad terrenal?

4.3 La educación

Al parecer la educación también fue un reto a una condición tradicionalmente aceptada en el pentecostalismo chileno. La promoción de un plan de educación con amplia cobertura social, garantizada desde

---

[35] *Chile Pentecostal*. Chile: 1950. Nos. 417-418.

los gobiernos radicales, redujo los índices de analfabetismo y posibilitó el ingreso de miles de personas a niveles de estudios más altos. No es ajeno pensar que los hijos e hijas de los pentecostales constituyeran parte de esa masa que se educaba con el respaldo patrocinado por el Estado.

Entendemos que como efecto de la preponderancia que alcanzó el tema de la educación en la sociedad, las iglesias pentecostales descargaran contra ella un sentimiento aversivo que condenó el saber como un signo de soberbia y altanería. Esta actitud puede ser interpretada de acuerdo a la lógica del poder, así como la riqueza representaba ser una señal de empoderamiento rechazada por las clases populares, sobre todo campesinas.[36] En el régimen de desarrollo del siglo XX los altos estratos de poder y liderazgo fueron alcanzando por las clases medias a través del canal de la educación. La educación secular se percibió en las comunidades pentecostales como una conminación desestructurante de su ideología religiosa.

La educación se hallaba comprometida a dos situaciones amenazantes para el discurso pentecostal. La primera era el inminente riesgo que se anunciaba con una comprensión que podía alterar la interpretación de la realidad y la Biblia desde la perspectiva de los pobres y excluidos. La segunda, una pesada carga que los y las pentecostales habían soportado de antaño ser etiquetados por las iglesias protestantes históricas y el catolicismo como una "religión de gente ignorante y supersticiosa".[37] La convicción de ser portadores de un conocimiento efectivo sobre las necesidades espirituales y materiales de los seres humanos dispuso a los pentecostales a sentirse en un estrato superior que el proporcionado por un amplio saber científico, preconizado en esos días como señal teleológica de la modernidad.

4.4 El evangelio social

La discusión social de la época parece haber llegado a las comunidades pentecostales sólo a través de la propaganda del "evangelio social"[38], predicado desde principios del siglo por evangelistas protestantes norteamericanos como Stanley Jones, Sherwood Eddy, Frank Buchman, McConell, etc., quienes enfocaron el evangelio hacia la

---

[36] Ver: M. Salinas, *Historia del pueblo de Dios en Chile*. Este teólogo e historiador hace una interpretación del cristianismo desde la perspectiva de los pobres y de los mitos que se desarrollan en torno a la riqueza y el poder.

[37] Ver la revista religiosa metodista y presbiteriana *El Heraldo Cristiano* de octubre de 1920.

[38] *Fuego de Pentecostés*. Chile: 1952. No. 274.

resolución de los problemas sociales, especialmente pobreza, alcoholismo, delincuencia, educación y tensiones raciales.

El "evangelio social" no fue una propuesta atractiva para las iglesias pentecostales expuestas en este trabajo, a pesar que cada una de ellas trabajaba sobre una base social que aspiraba de algún modo a la resolución de los problemas de los individuos. El rechazo se gestó principalmente porque los principios del "evangelio social", fundamentados en "la salvación de la sociedad", eran incompatibles con el diagrama teológico del pentecostalismo chileno.

En la lógica pentecostal de la época pareciera no existir una conciencia genérica de la población y de su condición humana que pudiese estar exenta de una categoría dual: converso o pecador. Por eso las correcciones valóricas y morales del evangelio sólo podrían actuar en un plano netamente individual, y nunca colectivo o social: "La 'sociedad' de ninguna manera existe delante de Dios y es una vana ilusión del diablo decir que los pecadores son tratados en masa."[39]

Tampoco fue aceptado el optimismo del "evangelio social" que planteaba una transformación positiva de la sociedad a través de la conversión masiva de ésta, lo que habría puesto en duda un concepto estructurante del pentecostalismo chileno respecto a la llegada del milenio y al inminente "retorno de Cristo" a la tierra.

La actitud de algunas comunidades pentecostales, sobre todo las más antiguas como la IEP e IMP, ante la aparición de ciertas propuestas de carácter social, nos deja entrever que estuvieron lejos de asumir cualquier tipo de proyecto social o político que promoviera transformaciones globales de la sociedad. La única instancia de mejoramiento se pensó en categoría individual, mediante la experimentación de la eficacia divina en una renovación de actitud valórica frente a la vida y al "prójimo".

4.5 Actitud y participación socio-política del pentecostalismo

La disposición de las iglesias pentecostales estudiadas en el contexto de la ciudad de Santiago en la década de 1950 se muestra distante hacia las propuestas políticas del período, en realidad, hacia todo lo que pertenezca al sistema político. La apoliticidad pareciera ser un rasgo generalizado en el movimiento pentecostal chileno, como lo reafirmó Christian Lalive d'Epinay cuando interpretó que la causa de esta

---

[39] *Fuego de Pentecostés*. Chile: 1952. No. 274, p. 3.

conducta correspondía a la semilla milenarista que portaba este movimiento religioso, incompatible con las proposiciones de mejoras sociales en el aquí y ahora. Sin embargo, en la historia del pentecostalismo chileno han existido tendencias abocadas a la resolución de las problemáticas sociales y para ello se han estrechado lazos entre comunidades pentecostales y partidos políticos de centro e izquierda[40], incluyendo el intento de candidatura presidencial de Genaro Ríos en el año 1938. Ciertamente, estas corrientes de un activismo político consciente han sido predominantes en contextos disímiles al de la ciudad de Santiago, como es el caso de la zona del carbón.[41]

Es posible suponer que las comunidades pentecostales que surgen y se nutren en el área central del país, específicamente en Santiago, poseen una impronta más renuente a la participación política que las comunidades religiosas del sur en la zona del carbón, principalmente por los contextos históricos laborales que han condicionado la disposición de los sujetos en la intervención de lo público. El afluente de miembros para el pentecostalismo urbano de Santiago fue el latifundio, lugar donde fue negada hasta fines de la década de 1960 la organización sindical y una participación política transparente sin intervención de los intereses del patronazgo. Las conclusiones sociológicas de Lalive d'Epinay sobre el pentecostalismo chileno toman mayor preponderancia cuando vemos que efectivamente la comunidad pentecostal constituyó una restitución de las antiguas formas de la hacienda.

A pesar de que la posición de las iglesias pentecostales se mostraba distante a la acción en los asuntos del Estado y la política, no hubo un discurso claro que otorgara razones sustanciales para justificar su actitud. Tampoco propuso una sociedad alternativa y alejada de los patrones que ofrecía el mundo secular moderno. ¿Cómo era posible entonces que la comunidad religiosa se desenvolviera en un marco de leyes y normas regido por un Estado que impulsaba la participación política? La respuesta del pentecostalismo fue bastante simple: separó la conducta cívica de la política. La siguiente cita es representativa de esa actitud:

> Pero, la verdad desnuda es que hay cuando un verdadero cristiano

---

[40] La Misión Wesleyana Nacional, fundada por Víctor Mora el año 1928, ha desarrollado una amplia vocación por el trabajo social en la zona del carbón. Sus líderes no se han restringido, en algunos casos, a ser militantes del Partido Comunista y organizar grupos en reivindicación de demandas laborales y de vivienda. Ver: M. Ossa, *Espiritualidad popular y acción política*. Chile: Rehue, Centro Ecuménico Diego de Medellín, 1989.

[41] La zona del carbón define a un área geográfica-económica del sur de Chile dedicada hasta fines del siglo XX a la explotación minera del carbón piedra o hulla.

> debe actuar ¡no en política! Sino en ciertos actos cívicos. Debe intervenir los planes humanos y rechazar con su voto todo lo que vaya en contra de la justicia o de su fe.[42]

La predisposición de las iglesias pentecostales y sus miembros hacia las autoridades regentes ha sido generalmente cordial y de respeto, independiente de la facción que éstas representen. Nunca se han manifestado en oposición al cumplimiento de los deberes cívicos o ciudadanos, pero tampoco han hecho pública una moción de apoyo a un candidato o una tendencia política. Esto se debe a que en la conciencia pentecostal existe implícitamente una protesta al sistema de partidos políticos, que se han mostrado ineficaces a darles soluciones reales a sus problemas en la vida urbana, y ante el desahucio de condiciones viables para la sociedad terrenal promueve una sociedad de justicia en el más allá.

Como hemos visto, para el pentecostalismo no existió un parámetro de "sociedad", y si hubiese existido, pareciera haber sido bastante incómodo. Ese concepto fue sustituido por el de "nación", lo que no refiere precisamente al "mundo" de maldad, sino a un espacio y una población querida, que debe ser salvada de la corrupción del pecado por medio de la evangelización y conversión de cada persona.[43]

El comunismo no fue durante el período una amenaza para el pentecostalismo a pesar de poseer una clientela social en común. La razón pareciera encontrarse en que la condición social y económica de los pentecostales fue de mayor exclusión que los sujetos que podían ocupar un puesto de trabajo estable con cierto acceso a las garantías del Estado, donde el comunismo actuó para sus fines.[44] Por esto el sociólogo Hans Tennekes cree que la razón por la que los pentecostales se abstienen de una participación política comprometida se debe a que las organizaciones de izquierda, que han representado el cauce principal de la protesta de esta clase, no han ofrecido un cambio social directo, sino que se limitan a prometerlo. "No son capaces de alcanzar un fin en sí misma, son un mero instrumento para alcanzar otro fin, que consiste en la transformación de la sociedad globalmente considerada. El movimiento pentecostal, en cambio, ofrece aquí y de inmediato una alternativa para la estructura

---

[42] *Chile Pentecostal*. Chile: 1961. No. 535.

[43] *Chile Pentecostal*. Chile: 1958. No. 506.

[44] J. Sepúlveda, *De peregrinos a ciudadanos. Breve historia del cristianismo evangélico en Chile*. Chile: Fundación Konrad Adenauer, FET, CTE, 1999, p. 128.

social vigente."[45]

4.6 *Conversión y sanidad*

Desde la óptica de una participación racionalizada o consciente, es evidente que el pentecostalismo no desarrolló mecanismos ideológicos políticos para revertir la desfavorable condición social de sus miembros, ni se alineó a discursos que los propusieran, pero sí generó herramientas más eficaces en el corto plazo que subsanaron las carencias inmediatas del contexto. Su creencia en la salvación religiosa, la que se concretiza con frecuencia en la sanidad, son elementos centrales en esta experiencia de transformación del individuo, y que afecta sus condiciones reales de existencia en la ciudad.

La conversión se experimenta como un acto intenso que irrumpe en la vida de la persona, entendida como una manifestación de la presencia de Dios y del poder transformador del Espíritu Santo que logran instalar nuevos sentidos en la disposición de la persona sobre su forma de actuar y sentir. El proceso de salvación o conversión es un pilar fundamental en la conciencia pentecostal porque es el único medio que le garantiza a la persona una oportunidad de normalizar sus códigos valóricos, dignificarla e incluirla en una comunidad social que comparte sus mismos intereses y reglas de sentido, y que provee además de elementos materiales y simbólicos para la subsistencia.

La creencia y experiencia de la sanidad fue el otro pilar de sustento del credo pentecostal. Sanidad y conversión siempre van de la mano en el imaginario pentecostal, puesto que ambas restituyen la vida del individuo, tanto en el plano físico como en el simbólico. Tanto la salvación como la sanidad producen un efecto de integración a un mundo que ha excluido a los sujetos por sus carencias, aún más en el contexto de la ciudad donde la sociedad urbanizada o normalizada miró con temor a los hombres y mujeres que poblaban los márgenes de Santiago e intentaban enrolarse con cierta torpeza a los nuevos hábitos y formas de vida.

Santiago siempre fue un espacio segmentado, condición que se agudizaba más todavía en la ideología liberal burguesa de fines del siglo XIX y principio del XX, que reordenó los elementos de la ciudad y cernió

---

[45] H. Tennekes, *El movimiento pentecostal en la sociedad chilena*. Chile: Sub-facultad de Antropología Cultural de la Universidad Libre de Ámsterdam; Centro de Investigaciones de la Realidad del Norte (CIREN), 1985.

lo urbano de lo inurbano (sin ser rural). Este pensamiento está expresado en las palabras del Intendente de Santiago, Benjamín Vicuña Mackenna:

> El camino de cintura establecerá alrededor de los centros poblados una especie de cordón sanitario por medio de sus plantaciones, contra las influencias pestilenciales de los arrabales. (...) Esta ciudad completamente bárbara, injertada en la culta capital de Chile y que tiene casi la misma área de lo que puede decirse forma Santiago propio.[46]

La "civilización" llegó de la mano con la "salubridad", y con ella una muralla real y simbólica para separar a los pobres de su centro. La miseria era una realidad que se transparentaba en el barro de las calles, en las habitaciones húmedas sin ventilación ni depósito para eliminar las excretas, y en una cantidad de niños y niñas muertos que a principio de siglo superaba los índices de mortalidad infantil de los países más pobres del mundo.

A pesar de las buenas intenciones del Estado de desarrollo y su programa de extensión del servicio público, que propiciaba una mayor cobertura médica para la sociedad, en las décadas de los 1950 y 1960 la miseria y las enfermedades seguían siendo una dura realidad para el país que se agudizaba en las precarias y emergentes poblaciones de la gran ciudad de Santiago. Así lo deja entrever el siguiente testimonio expuesto por la revista católica *Mensaje* ante las insuficiencias de la recién inaugurada población José María Caro:

> Hace pocos días –contó un estudiante de Medicina que ayuda en el policlínico de la población– me llamaron a una casa del sector F (el más pobre) porque había muerto el jefe de la familia y no sabían qué hacer con el cadáver. No tenían un centavo: ni siquiera los E° 5 que cobran los chóferes de micros por llevar el ataúd hasta el cementerio general. Fui a la casa. El muerto yacía en una cama, rodeado de moscas e insectos. Estaba semi-putrefacto. Tenía cinco días. Su mujer y tres niños dormían en el piso, en la misma pieza. La cama ocupada por el cadáver era la única que disponían.[47]

En condiciones tan difíciles de habitabilidad como las expuestas, las enfermedades eran un mal que calaba más fuerte entre los pobres que en el resto de la población. Las condiciones de reparo o intervención estuvieron limitadas por la escasa accesibilidad a los consultorios públicos

[46] Intendencia de Santiago, Plan Regulador, 1872. En: V. Espinoza, *Para una historia de los pobres de la ciudad.* Santiago de Chile: Ediciones Sur, 1988, p. 20.
[47] *Mensaje*. Chile: 1962. No.105.

y tratamientos médicos con poca eficacia en una población mal alimentada. Las comunidades pentecostales proliferaron y elaboraron su discurso religioso de acuerdo a esa realidad y como respuesta a ella.

La enfermedad se suma al contexto de todos los males que la persona ha experimentado previamente a la conversión religiosa. Es también la reprobación hacia un sistema que no ha sabido dar respuestas a las necesidades vitales de los individuos. He ahí la importancia simbólica de la sanidad y la salvación como único medio de restauración física y valórica que le permitió al individuo "limpiar" su condición de marginalidad y ser aceptado bajo los códigos de urbanidad hasta llegar a ser un ciudadano íntegro.

4.7 La evangelización como acto socio-político

El estilo de evangelización "al aire libre" o "a la calle" es una práctica identitaria del pentecostalismo chileno. También es un elemento del paisaje popular urbano del siglo XX, que se refuerza cada vez que grupos de evangélicos pentecostales ordenados en columnas desfilan por las calles cantando y anunciando el mensaje cristiano de salvación. Desde los primeros días del movimiento religioso la "predicación a la calle" se instaló como una práctica subversiva hacia el poder religioso, político y social de la época[48], instalándose en el imaginario religioso como la principal misión de la comunidad en el mundo.

La energía que dedicaban las comunidades pentecostales a la labor evangelizadora por llevar el mensaje cristiano a toda la población circundante superaba cualquier tipo de sacrificio religioso. Conducta de esfuerzos que no pasó desapercibida para el sacerdote católico Alberto Hurtado, quien dijo:

> De Valparaíso va a Quintay, todas las semanas, un grupo de pentecostales. Haciendo un viaje de unas siete horas a pie, a hacer la escuela dominical: regresan a las dos p.m. y llegan a Valparaíso a las siete, para asistir al culto de la iglesia pentecostal. (...) El deber principal del cristiano es predicar el Evangelio, y por tanto cada evangélico es un propagandista agresivo a favor de su causa.[49]

A pesar del esfuerzo desplegado para tal objetivo, las comunidades

---

[48] Fue recién el año 1925 que los evangélicos tuvieron la garantía constitucional de celebrar sus cultos en público. Sin embargo continuaron sufriendo persecución y recriminaciones de parte ciertos feligreses católicos y representantes de las clases más adineradas.

[49] A. Hurtado, *¿Es Chile un país católico?* Chile: Splendor, 1941, págs. 76 y 80.

no crecieron por efecto de la predicación en la calle.[50] ¿Cuál fue la razón principal para que la evangelización se situara con tanta preeminencia en las prácticas y discurso del pentecostalismo? Se debe a la convicción de que la vida de los individuos puede ser transformada positivamente por medio del mensaje de salvación, y esto a pesar de todas las circunstancias adversas que afectan su vida, incluyendo las condiciones urbanas.

El valor y significancia del hecho está dado porque el mensaje pentecostal fue dimensionado como el único medio de regeneración que puede ofrecer la comunidad religiosa a la sociedad. Y creemos que en esto puede percibirse un acto socio-político, en cuanto existe una ideología que promueve la mejora de los males que aquejan a la población, específicamente al individuo, a través de la conversión y la sanidad. En esa línea de interpretación comentaba un pentecostal:

> El plan de salvación es arrepentimiento y fe en el Hijo de Dios como único y personal Salvador. Los modernistas hablan de "reformarse". Cristo dijo: "Os digo: antes si no arrepintiereis, todos pereceréis". No es reformación: no es remiendo de paño recio en vestido viejo. El Señor dijo a Nicodemus que la cuestión era el nuevo nacimiento.[51]

Bajo esta iniciativa de compromiso religioso y conciencia de bien hacia el "prójimo" se predicó en todos los rincones de la ciudad y se llevó el mensaje evangélico a las calles, plazas, cárceles, hospitales y poblaciones, para que los segregados de la sociedad urbana conocieran y accedieran a un medio de regeneración e integración a la ciudadanía.

La evangelización en la calle a fines de la década de 1950 también sirvió para otro efecto: exponer a la sociedad secular quienes y cuantos ya integraban las filas del pentecostalismo. El sobresaliente crecimiento de las iglesias pentecostales que se venía dando desde hacía más de una década fue un hecho a la vista de la población y de ciertas instituciones como la Iglesia Católica. Ante eso, las comunidades pentecostales se mostraron orgullosas de sus progresos y exhibieron con talante de triunfo su trabajo evangelístico. Así se dejó ver en el acto de celebración del cincuentenario del movimiento pentecostal el año 1959, cuando miles de pentecostales de la IMP desfilaron por la principal avenida de Santiago, Alameda, portando banderas nacionales y estandartes con el nombre de

---

[50] Según las revistas eclesiásticas y testimonios orales, el crecimiento de las iglesias devino principalmente de las invitaciones de amistades o familiares, y por múltiples casos de sanidades, según la percepción pentecostal.

[51] *Fuego de Pentecostés*. Chile: 1954. No. 293.

cada congregación. Así expresaban un derecho propio de ser ciudadanos chilenos y con alta dignidad cívica. El sacerdote Ignacio Vergara presenció el evento y lo expuso:

> Esa tarde la atención de los pobladores de barrios populares estuvo concentrada en el espectáculo de esa cantidad inmensa de gente sencilla que vaciaba las micros en los alrededores de Plaza Almagro: señoras con sus guaguas en brazo, niños de la mano, hombres y jóvenes con sus guitarras, himnarios, Biblias, estandartes, banderines, altavoces, enfermos llevados en peso, campesinos venidos desde lejos.[52]

A los 50 años de trayectoria el pentecostalismo chileno comenzaba a experimentar una "metamorfosis sagrada" (D. Chiquete) que en su condición numérica y el vigor en la experiencia comenzaba a desheredarse de su condición de "refugio" para presentarse como un protagonista más de la ciudad.

5. ¿Crisis o reformismo?: Los efectos del reformismo en la ciudad y en el pentecostalismo (1960-1970)

5.1 Modelo en crisis o "crisis integral": Diagnóstico económico y social

Los magros resultados del modelo ISI hasta los últimos años de la década de 1950, corroídos por la tendencia al alza inflacionaria y las expectativas insatisfechas en la población, obligó a los dirigentes de la nación a buscar las causas del estancamiento y a rediseñar un nuevo camino para el desarrollo económico y social del país. El discurso que ganó mayor credibilidad e influencia en los medios académicos y posteriormente políticos fue el proyecto desarrollista y modernizante de la Comisión Económica para América Latina (CEPAL), organismo dependiente de las Naciones Unidas, con sede en Santiago, que albergaba a sociólogos y economistas que trabajaron en torno al fracaso económico de América Latina, especialmente el de Chile.

El remedio al problema económico del país remitía a cuestiones estructurales que proponían la implantación de transformaciones globales a través de una intervención directa y planificada desde el Estado. La solución requeriría de un cambio sistémico auspiciado por una reforma agraria realizada desde el Estado, lo que permitiría elevar el nivel de la

---

[52] *Mensaje*. Chile: 1960. No. 86.

actividad económica del país y corregir la abismante desigualdad en la distribución de los ingresos y así conformar una real sociedad democrática.[53]

Como señala la historiadora Sofía Correa[54], la paradoja del momento fue que el profundo descontento que recorría el país al finalizar la década de 1950, más que generar una sensación de incertidumbre y desconcierto frente a la acumulación de problemas económicos y sociales, condujo al diseño de propuestas altamente elaboradas e imbuidas de un confiado optimismo derivado de su carácter mesiánico. De ahí que haya sido el concepto de "revolución", entendido como la transformación rápida y radical a los órdenes establecidos, la consigna que alimentó las propuestas de los años 1960.

Prácticamente dos reformas acapararon toda la energía de la década de 1960: la reforma agraria[55] y la "revolución en libertad". Ambas alcanzaron mayor consolidación durante el gobierno de Eduardo Frei Montalva (1964-1970) y fueron promotoras de grandes expectativas entre la población.

La "revolución en libertad" constituía la suma de las propuestas que llevaron al candidato de la Democracia Cristiana, Eduardo Frei Montalva, a la Presidencia de la República en 1964. El proyecto conciliaba ambiciosas reformas estructurales para el país que contaban con el amplio apoyo de los Estados Unidos a través de la *Alianza para el Progreso*, y de la Iglesia Católica, más una amplia popularidad que depositó sus esperanzas en un discurso prometedor para los sectores que hasta ese entonces se hallaban distanciados de la participación pública y estatal. El proyecto político aspiraba a frenar el avance del comunismo concentrado en la popularidad de Salvador Allende G, quien había estado cerca de la victoria presidencial en las elecciones de 1958.

El ambicioso plan de la "revolución en libertad" trató de operar en diversas áreas de la vida del país, pero fue para el plano social y urbano que se diseñó un elaborado proyecto llamado "promoción popular". Este se proponía ampliar las bases de participación bajo la inspiración del

---

[53] J. Ahumada, *En vez de la miseria*. Chile: Editorial del Pacífico, 1958.

[54] S. Correa, *Historia del siglo XX chileno. Balance paradojal*, p. 239.

[55] La Ley de Reforma Agraria había sido aprobada en noviembre de 1962 por el gobierno derechista de Jorge Alessandri (1958-1964) por presiones de los Estados Unidos, con el fin de promover y efectuar la subdivisión de los predios y reagrupar minifundios, siempre bajo las condiciones señaladas, sin interferir en los intereses de los terratenientes: fue una reforma a medio camino.

pensamiento socio-político jesuita y, específicamente, del sacerdote Roger Vekemans, quien había instalado en la vanguardia académica el concepto de "marginalidad" para interpretar los niveles de intervención de los sectores sociales más excluidos por el aparato público. El proyecto de "promoción popular" partió por incentivar la institucionalización de organizaciones en todos los niveles de la sociedad con pretensiones de incluir a los "marginales" y asegurar un apoyo electoral para el gobierno. Así, durante el período de Frei el país se llenó de grupos sociales organizados como Juntas de Vecinos, Centros de Madres, clubes deportivos. Paralelamente se impartieron cursos de preparación de líderes comunitarios y se hizo entrega de recursos básicos como sedes sociales, máquinas de coser y otros implementos que servían para el funcionamiento de las asociaciones.

En el período que va de 1960 a 1970 la ciudad de Santiago continuó el curso de crecimiento que llevaba desde hacía treinta años, alcanzando su máxima extensión urbana con un 66 % de crecimiento poblacional en el rango de los diez años. Ante la insoslayable preponderancia del tema urbano en la realidad nacional se crearon varias instancias que pretendieron mejorar las condiciones de habitabilidad de la ciudad capital: en 1960 se creó el Plan Intercomunal de Santiago, el que se proponía integrar a todas las comunas que componían la realidad urbana cuyo conjunto pasaría a llamarse Gran Santiago; en 1965 nació el Ministerio de la Vivienda y Urbanismo, cuya misión fue intensificar las labores de planificación urbana que estaba asumiendo el Estado.

Durante el gobierno de Eduardo Frei (1964-1970) se propuso un plan habitacional más complejo que los llevados a cabo en los gobiernos anteriores, puesto que se consideraba la condición social de los pobladores en cuanto a comunidad y necesidad de organización, según los criterios fundamentados en la "teoría de la marginalidad". Esta postura llevó a las instituciones públicas no sólo a preocuparse de la vivienda sino también de la necesidad de cubrir otras carencias como salud y educación. A través de la Consejería Nacional de Promoción Popular se creó la Ley de Juntas de Vecinos y Demás Organizaciones Comunitarias con la intención de promover redes de participación y acción en la población para así contrarrestar los altos índices de "marginalidad".

A esa fecha los sectores populares urbanos jugaban quizás el papel más importante que se haya conocido en toda la historia de Chile. La orientación de los discursos políticos de la época, tanto de la Democracia

Cristiana como de la izquierda, estaban claramente abocada a la integración efectiva de todos los grupos sociales, los que hasta hacía muy poco tiempo eran una extraña masa de habitantes alojados en los contornos de la gran ciudad. Florecía en el ambiente de Santiago en los años de 1960 el impulso de cambiar todo lo tradicionalmente instituido, predominando un espíritu de rebeldía.

> La década de 1960 (...) devino de una relajación de las conductas. La efervescencia social, la transgresión a las costumbres, el desenfreno eufórico por el cambio y un fuerte optimismo en el futuro, fueron los signos que marcaron la pauta. Fue una época de trastornos en las modas, estéticas, consignas, representaciones y conductas, liderada por sujetos nuevos como los jóvenes y las mujeres en el marco de una cultura de masas que se consolidaba, todo lo cual irrumpió en la vida pública con inusitada magnitud.[56]

Pese a la decidida iniciativa social del gobierno de Eduardo Frei Montalva a través de un plan organizado para los sectores populares, durante sus últimos años de mandato el ambiente se vio recrudecido por una sensación de crisis y expectativas incumplidas entre la población. El optimismo que había sembrado la "revolución en libertad" comenzaba a desmoronarse ante la incapacidad de satisfacer las altas demandas de todos los grupos de la sociedad. La violencia y la politización se acentuaron en la ciudad, y surgieron nuevos grupos organizados con propuestas políticas al margen de la vía pacífica y democrática, que vieron en los márgenes urbanos un semillero de rebeldía capaz de adherir a sus propias iniciativas.

Los últimos años de la década de 1960 llegan a la ciudad en medio de un clima de desacierto y extensa polarización política que pone a prueba el proyecto más radical de todos los anteriores en términos de cambios estructurales para el país, "la vía chilena al socialismo", con la elección del candidato de la Unidad Popular, Salvador Allende Gossens, el día 4 de septiembre de 1970.

6. Discurso y acción de las comunidades pentecostales en la ciudad de Santiago en la década de 1960

6.1 Algunas consideraciones respecto al crecimiento

De acuerdo a las suposiciones planteadas por el sociólogo Christian

---

[56] S. Correa, *Historia del siglo XX chileno*, p. 226.

Lalive d'Epinay, habría una baja en la tendencia de crecimiento del pentecostalismo y la pérdida de su condición de "refugio de masas" para la sociedad, cuando se presentaran nuevas propuestas sociales para los sectores excluidos o marginales. Como sucedió con la campaña de "promoción popular" del gobierno demócrata cristiano y la expansión de las propuestas políticas izquierdistas. Los censos nacionales aplicados entre 1960 y 1970[57] demuestran que efectivamente el número de evangélicos a nivel nacional no creció en términos porcentuales a diferencia de como lo venían haciendo desde hace dos décadas.[58]

Estas cifras parecieran estar corroborando la tesis de Lalive d'Epinay. No obstante, cuando se evalúan las tendencias numéricas de los evangélicos en la ciudad de Santiago durante el mismo rango de tiempo, de 1960 a 1970, se observa una constante de crecimiento de 1,1 puntos porcentuales[59], mientras que la del país sólo había llegado al 0,6. Estas cifras demuestran que la ampliación de los espacios de participación pública que lograron los sectores populares a partir de la segunda mitad de la década de 1960 no frenó la tendencia de crecimiento de la población pentecostal de Santiago. Podemos suponer que tras las consecuencias generadas por la Reforma Agraria y la Ley de Sindicalización Campesina, el impacto sobre el crecimiento evangélico pudo ser mayor en provincias agrícolas como Colchagua y Valdivia que vieron objetivamente la progresión de su población evangélica disminuida.[60]

De acuerdo a las tendencias numéricas, podemos intuir que entre los cambios o reformas aplicadas entre los años 1960 a 1970 que más impacto lograron sobre la inclinación religiosa de los individuos fue la reforma agraria, precisamente en el contexto rural y no urbano.

6.2 Distribución espacial y arquitectura pentecostal en Santiago

---

[57] Los datos estadísticos fueron extraídos de: H. Lagos y A. Chacón, *Los evangélicos en Chile. Una lectura sociológica.* Chile: Lar; Ediciones Literatura Americana Reunida; Presor; Programa Evangélico Socio-religioso, 1987.

[58] En 1940 (2, 34%) y 1952 (4, 06%): 1,72 puntos de crecimiento; entre 1952 (4, 06%) y 1960 (5,58%): 1, 52 puntos de crecimiento; entre 1960 (5,58%) y 1970 (6,18) sólo se obtuvo un 0,60 puntos de crecimiento.

[59] Entre 1970 y 1973 la población evangélica del Gran Santiago creció 2,5 puntos porcentuales, lo que manifiesta un progreso repentino aún medio de propuestas de integración popular, como lo fue durante el gobierno izquierdista de Salvador Allende.

[60] La Provincia de Colchagua, caracterizada por ser una de las zonas donde se hacía más presente la existencia del latifundio, coincidentemente presentó entre los años 1960 y 1970 un escaso crecimiento evangélico de sólo 0,3 puntos porcentuales.

Por referencia de las propias revistas eclesiásticas pentecostales, conocemos que el crecimiento fue igual o mayor que la década anterior, garantizando el establecimiento de muchas congregaciones pentecostales en las poblaciones que sólo hacía algunos años se habían inaugurado por planificación estatal o meramente por iniciativa de sus habitantes, como las poblaciones La Victoria, Estrella, La Faena, Violeta Parra y otras. Esta vez la expansión se situó en zonas y futuras comunas caracterizadas por su composición popular: Peñalolén, Cerrillos, Pudahuel y Cerro Navia. Así también lo declaraba el balance de la Conferencia Anual de Pastores de la Iglesia Metodista Pentecostal celebrada el año 1969 en el templo de la comuna de Barrancas:

> En estos informes se puede ver claramente el resultado de las predicaciones en los diferentes sectores populares, donde predicamos al aire libre llevando el divino mensaje del Señor, cumpliendo en esta forma una gran labor en bien de nuestro prójimo. (...) Los templos se están haciendo estrechos. "La mies es mucha, más los obreros pocos. Por lo tanto hay que seguir rogando al Señor de la mies que siga mandando obreros a su mies". Podemos decir según los informes entregados por el Pastorado en general, que la ganancia de almas es tan favorable, que creemos que pronto Chile será para Cristo.[61]

Durante el transcurso de los años de la década de 1960 las comunidades pentecostales son testigas de su propio avance, concibiendo numéricamente su importancia en medio de la sociedad y particularmente en la ciudad. El crecimiento de las congregaciones impulsa a crear templos más grandes y espaciosos de acuerdo a las nuevas condiciones de su feligresía. Sin embargo, en el proceso de edificación se trasluce el paso hacia la institucionalización y consolidación de ciertas comunidades pentecostales en medio de la sociedad.

La expresión más elocuente del momento fue la edificación del templo central de la IMP en calle Alameda esquina con Jotabeche en Santiago, conocida como la Catedral Evangélica. En 1968 fue derribado el antiguo templo que ya poseía una amplia capacidad para aproximadamente 2.000 personas, para así levantar un edificio que se proponía acoger una cantidad de 15.000 feligreses. Este proyecto constructivo demoró alrededor de siete años en ser terminado, siendo inaugurado el año 1974.

Varios elementos presentes en este proceso revelan una correlación

[61] *Chile Pentecostal*. Chile: 1960. No. 593.

entre el grado de institucionalización de la denominación y la reproducción de rasgos católicos al interior del pentecostalismo. Esta tendencia se demuestra en el hecho de que el templo haya adquirido el rango de Catedral en una simbiosis con la tradición católica que releva la jerarquía y preponderancia simbólica del espacio respecto a otros puntos de la ciudad. La mega construcción pretendía ser la cara corporativa de los evangélicos en Chile y a través de ella prestigiar a los pentecostales que frente a la sociedad siempre habían sido mirados con menosprecio.[62]

7. El discurso del pentecostalismo ante la propaganda reformista de la ciudad

Son varios los aspectos que podríamos determinar respecto a la dinámica de comportamiento del pentecostalismo en la ciudad durante la década de 1960 en su cercanía con diversos proyectos políticos y sociales del período. Circunscribiremos nuestras observaciones a tres puntos claves: la modernidad y el reformismo, la política y el ecumenismo.

7.1 Modernidad y reformismo

Aludir a "modernidad y reformismo" es la forma que tenemos de vincular y exponer la actitud de las comunidades pentecostales respecto a los conmocionantes sucesos que vivió la ciudad de Santiago durante la década de 1960. Es importante tener presente el proceder social de las iglesias pentecostales durante la década de 1950, cuando se caracterizaron por mostrar una tendencia homogénea entre ellas, predisponiéndose como comunidades de refugio para los grupos excluidos que recientemente intentaban integrarse a la vida urbana. El impacto del discurso de modernización y cambios de las estructuras más anquilosadas de la vida nacional diversificó la visión de las iglesias pentecostales y las condujo por caminos distintos de participación y actitud frente a los acontecimientos del país, especialmente de la ciudad de Santiago. Así sucedió con la IEP y la IMP, que aun siendo originarias del mismo tronco denominacional, y las más grandes del país, poco a poco fueron perfilando sus diferencias respecto a su vinculación con el mundo secular o extra eclesiástico.

La IMP mostró rasgos de apertura a la participación pública,

[62] El autor del comentario se expresaba así: "Al contemplar su magnitud, dicen comprender que tal obra prestigia a los evangélicos en general, tanto en Chile como en el extranjero." En: *Chile Pentecostal*. Chile: diciembre 1969.

basada en su conciencia de estar convirtiéndose en una importante fuerza social hacia fines de los años 1950, como quedó de manifiesto en la celebración del cincuentenario del movimiento pentecostal en Chile, en septiembre de 1959. En una actitud institucional fortalecida sobre tiempos nuevos y renovados, ya no era la iglesia tímida y discriminada de los orígenes. En la década de 1960 se posesionaba y miraba segura hacia la conquista evangelística de Latinoamérica. Consciente de los sucesos del país, se sintió presionada a estrechar nuevas relaciones con el medio circundante, y para ello debió redefinir su postura frente a la participación política, el concilio ecuménico Vaticano II y la modernidad.

La postura de la IEP, influenciada todavía por el perfil ascético de su fundador Willis Hoover (1858-1936), insistió en mantener un carácter más austero y conservador en sus formas eclesiales, sobre todo de liderazgo, y en su relación con otras esferas de la sociedad, manteniéndose al margen de toda vinculación con algún medio o institución extra eclesiástica. Durante la década de 1960 se exhiben sus progresos materiales y de crecimiento numérico, pero en lo religioso continuó siendo una comunidad de "refugio", observadora pasiva de la situación de su entorno socio-político, sintiéndose sacudida por los acontecimientos modernos contemporáneos, los cuales interpretaba como signos de los "últimos tiempos" y de la inminente "venida de Cristo" a la tierra. Se lee en las páginas de su revista:

> En los días que vivimos encontramos que la estructura humana se sacude tan violentamente que hace pensar que todo lo que nos rodea ha perdido su estabilidad, y que no podemos esperar que esto se normalice, porque sabemos que el mundo irá de mal en peor, (...) debemos interesarnos con todo el esfuerzo posible que el gran día del Señor manifiestamente se acerca.[63]

Reaparece en las palabras de la comunidad religiosa la percepción de incertidumbre y caos sin solución ni retorno, lo que contribuye a reforzar su disposición milenarista y sectaria, tal y como ya lo manifestaba en décadas anteriores.

Diferente fue la actitud de la IMP que, como lo mencionábamos, inicia un proceso de institucionalización que se exacerbó aún más con la muerte del Obispo Manuel Umaña el año 1964 y la ocupación del cargo por Mamerto Mancilla, hombre de clase media que intentó, junto al directorio de la denominación, organizar una administración más

---

[63] *Fuego de Pentecostés*. Chile: 1965. No. 426.

burocrática, restándole ciertos atisbos patronales que se exhibía durante el liderazgo de Umaña.[64] Quizás lo más sobresaliente respecto a esta temática sean las reflexiones publicadas en la revista *Chile Pentecostal* que dan cuenta del momento en que la IMP, como una gran comunidad religiosa, se dispone a repensar su discurso y dialogar, quizás en forma reservada y precavida, con otras entidades, tanto en el ámbito religioso como en el secular.

Bajo los principios del paradigma desarrollista-estructuralista la iglesia se entendió a sí misma como un elemento más de la sociedad, una sociedad que la obligaba a reflexionar sobre su papel y contribución en los procesos de cambios. Esta toma de conciencia se refleja en el siguiente comentario:

> Nos hallamos en medio de un proceso de profundas transformaciones de nuestras vidas, política, social, económica y cultural. Estamos en medio de un período de transición: la antigua estructura social está en ruinas y la nueva está recién formándose. El camino hacia atrás ya no es posible, y el camino hacia delante está lleno de dificultades a despecho de su grandeza, y demanda gran sentido de responsabilidad de cada uno. Quizás como iglesia no hemos estado preparados para todos estos cambios, pero estamos en medio de ellos.[65]

La propuesta de la comunidad pentecostal a la sociedad no varió radicalmente respecto a la que tenía anteriormente, pero ya hay un cambio de percepción significativo. Esto también se aprecia en diversos artículos de la época publicados en su revista *Chile Pentecostal.* Respecto a la inquietante palabra "revolución" persistía la convicción en que la única vez que un proceso revolucionario se hizo positivamente efectivo en toda su dimensión de cambio fue en el acto de la muerte de Jesucristo en la cruz, comprendido como el mayor hecho revolucionario, pues fue capaz de concretizarse en la transformación de cada individuo a través de la conversión. "A diferencia de otras (revoluciones) que sólo tienden a perfeccionar la institución existente, eliminando lo que había, sólo en parte para edificar un orden nuevo perfeccionado".[66]

---

[64] Una de las primeras medidas tomadas en la Conferencia Anual de pastores del año 1965, celebrada en Valparaíso, fue que el cargo de Obispo dejara de ser vitalicio y tuviese una vigencia de sólo seis años. También que los títulos de propiedad de los templos debían pasar a la IMP como persona jurídica y no a la propiedad personal de un pastor u obispo en particular. *Chile Pentecostal*. Chile: 1965. No. 577.

[65] *Chile Pentecostal*. Chile: 1964. No. 574.

[66] *Chile Pentecostal*. Chile: 1961. No. 538.

Esta vez la modernidad no fue vista con malos ojos por el pentecostalismo, sino con cierto grado de optimismo, puesto que se entendió como una cultura de nuevos hábitos que ponía a disposición de las personas artefactos útiles para su mayor confort, y para la iglesia pentecostal un mecanismo de evangelización más amplio y eficaz a través de las radiodifusoras y otros medios tecnológicos. Pero al mismo tiempo a la modernidad se le restaba valor debido a su carácter falaz, pasajero e incierto, pues carecía de la capacidad para "remediar los problemas básicos de la raza humana".[67]

En términos generales, podemos señalar que todas las comunidades pentecostales de Santiago, ya sea con convicciones pesimistas o expectantes sobre los eventos de transformación que experimentaba el país, asumieron el momento histórico como una oportunidad de fortalecer sus prácticas de evangelización en la certeza de ser el único medio de restauración social. La relación fue más pragmática que de principios.

7.2 Política y Estado

Pese a la efervescencia del contexto, las iglesias pentecostales no manifestaron mayor inquietud frente a la discusión política del momento, ya que continuaban en la línea de apoliticidad con que se habían definido en años anteriores. Tampoco se vio alterada significativamente esta actitud por las ofertas realizadas por ciertas posiciones políticas que propusieron cargos con la intensión de sumar la fuerza numérica de los pentecostales como apoyo electoral.[68]

Cada uno de los procesos de elecciones provocó cierta inquietud en la feligresía pentecostal y sus líderes. Pero ninguna opción política del momento se presentó como atractiva para estas comunidades, puesto que cada una de ellas estuvo de algún modo implicada con alguna desavenencia de índole religiosa. Así lo manifestó Rubén Bravo[69], miembro de la IEP, quien recuerda que como pentecostal sentía gran

[67] El siguiente comentario de Mamerto Mancilla, Obispo de la IMP, en el que alude a la modernidad, nos parece ilustrativo: "Hasta en la última década, hemos visto producirse una revolución social en casi todos los países. Las modas, los idiomas, las costumbres y mil cosas más han cambiado en los últimos años. Hace veinte años íbamos al muelle para ver la llegada de los barcos. Hoy vamos a los aeropuertos para esperar los aviones. Antes, la gran maravilla era el telégrafo. Hoy es la televisión. Pero con todos sus adelantos, el hombre no ha resuelto los problemas básicos de la raza humana durante miles de años, y que la tienen preocupada en nuestros días." En: *Chile Pentecostal*. Chile: 1969. No. 594, p. 3.

[68] *Chile Pentecostal*. Chile: 1963. No. 561.

[69] Rubén Bravo, 70 años. Entrevista realizada por A. Barrios en septiembre de 2009.

apatía por la Democracia Cristiana por ser un partido político aliado a la Iglesia católica; al Partido Nacional también lo vio como abanderado del catolicismo y de la clase alta, y, en el otro extremo, el Partido Comunista fue rechazado tajantemente por "negar a Dios" y contribuir al divisionismo de la sociedad.

Cada una de las denominaciones pentecostales estudiadas caminaron durante el período por la vía de la apoliticidad, no obstante, existieron ligeros rasgos de diferencia que dieron señal de la diversificación del movimiento pentecostal chileno y de las tendencias que cada una de ellas estaría dispuesta a tomar en futuros acontecimientos históricos del país, como lo fue durante el gobierno dictatorial de Augusto Pinochet (1973-1990).[70] La IEP fue la más apolítica y reticente en establecer nexos con la realidad secular y para ello separó abiertamente los objetivos y acciones del "mundo" de los de la comunidad religiosa.[71] La IDP[72], en un estado consciente de las metas religiosas en el más allá, se vio también en la necesidad de generar cierta orientación en la opción electoral de sus miembros a fin de obtener algunas garantías para el pueblo evangélico en el aquí y ahora. Mientras que la IMP a principio de la década de 1970, en la voz de su Obispo planteaba un interesante punto de reflexión, diciendo: "¿Cómo reconciliar a los ciudadanos del Reino de Dios con el Estado?"[73] Para el opinante la respuesta se encontraba en el argumento bíblico: "Dar al César lo que es del César, y a Dios, lo que es de Dios" (Mt 22, 21). La interpretación pareciera aludir más bien a los deberes del creyente como ciudadano que a sus derechos frente al Estado. De igual manera, fue el primer paso sobre una vocación que intentaba repensar el mundo de aquí frente a la vida celestial.

7.3 Pentecostalismo y ecumenismo

En el escenario de la década de 1960 el ecumenismo fue uno de los temas que floreció con mayor fuerza en el ambiente religioso del país. Primero como una iniciativa reformista católica propuesta por el papa Juan XXIII, a poco tiempo de asumir la silla pontifical el año 1958,

[70] Un sector representativo de las iglesias evangélicas y pentecostales le concedieron públicamente su beneplácito al gobierno militar el año 1973, diciendo: "El pronunciamiento militar de la Fuerzas Armadas en el proceso histórico de nuestro país, fue la respuesta de Dios a la oración de todos los creyentes que ven en el marxismo las fuerzas satánicas de las tinieblas en su máxima expresión." Ver: J. Sepúlveda, El nacimiento y desarrollo de las iglesias evangélicas. En: M. Salinas, *Historia del pueblo de Dios en Chile*, págs. 247-289.

[71] *Fuego de Pentecostés*. Chile: 1964. No. 420.

[72] *El Despertar*. Chile: 1964. No. 72.

[73] *Chile Pentecostal*. Chile: 1970. No. 596.

propósito que guió el Concilio Vaticano II (1962-1965).

La intensión de restaurar la antigua unidad del *Corpus Christi* en el seno de una Iglesia visible que abarcara a todas las iglesias y denominaciones de aquel entonces, como una realidad teológica y ya no puramente sociológica o histórica[74], no fue una propuesta atractiva para las iglesias pentecostales, sino más bien compleja.

La categoría de aceptación y diálogo de las iglesias pentecostales se inclinó, aún con cierta dificultad, hacia las denominaciones protestantes puesto que en ellas primaba la validez respecto a algunos fundamentos comunes, como la confesión de Cristo como Salvador y la alta estima que expresaban hacia las Sagradas Escrituras. En estas áreas, los pentecostales se sentían más cercanos e identificados con las iglesias protestantes, y distanciados de la Iglesia Católica, la que en varios casos fue anatemizada. Así lo corroboraba la revista *Chile Pentecostal*:

> Entonces ¿Qué inspiración es la que tiene el papa para hacer este llamado? Con toda verdad decimos que es el espíritu (de persecución) que un día tuvieron que buscar cuando dejaron de ser guiados por el Espíritu del Señor allá por el tercer siglo. (...) ¡Que temerario! quiere hacerlo con persecución y política religiosa, esto solo prospera en iglesias que no tengan al Señor. No así, en los verdaderos cristianos de una iglesia bautizada por el Espíritu Santo que nunca aceptará ser persuadida por el hombre.[75]

7.4 Acción e iniciativas de participación del pentecostalismo en la década de 1960

En el contexto de la década de 1960 las iglesias pentecostales se vieron estimuladas a la participación en entidades representativas del mundo protestante nacional que de alguna manera las obligó a abrirse al diálogo con otras denominaciones para trabajar en forma coordinada en tareas legislativas y sociales competentes a sus propias necesidades como instituciones religiosas.

En 1941 nació el Concilio Evangélico de Chile (CEC) como una renovación del Comité de Cooperación de las Iglesias que había sido la instancia para atender las aspiraciones ecuménicas originadas en el

[74] Ch. Lalive d'Epinay, Pastores chilenos y abertura hacia el ecumenismo, en: *Mensaje*. Chile: 1967. No. 163, págs. 478-484.
[75] *Chile Pentecostal*. Chile: 1959. No. 512.

Congreso de Panamá de 1916.[76] Veintiséis iglesias se afiliaron a la nueva entidad, entre ellas algunas pentecostales. La introducción de los pentecostales en el CEC les posibilitó participar en conferencias evangélicas latinoamericanas como CELA I (1949) y CELA III (1969).[77]

En primera instancia, el CEC se preocupó de organizar campañas evangelísticas interdenominacionales, pero a partir de 1958 le sobrevino un vuelco total en sus funciones, esta vez con un mayor énfasis social a raíz del contacto que la organización estableciera con una agencia de ayuda eclesiástica de Estados Unidos, la *Church World Service.* La influencia de esta organización llevó a la creación de un departamento de servicio dependiente del CEC conocido como Ayuda Cristiana Evangélica (ACE), el cual se convirtió en un canal de recursos donados por Estados Unidos por iniciativa del plan de la administración Kennedy y la Alianza Para el Progreso, otorgándole a esta nueva entidad una definición estrictamente social.

Aunque el CEC y el ACE se movieron bajo la lógica de las iglesias protestantes clásicas (metodista y presbiteriana, principalmente), la IDP y la IMP se involucraron con sus demandas y propósitos de carácter social a través de ACE. Así, nuevas temáticas se instalan en las discusiones y prioridades eclesiásticas de las comunidades pentecostales, como la importancia de la educación y de la ayuda al margen de los credos políticos y religiosos de los individuos. Así lo anunciaba la IDP en su revista:

> El propósito de dicho Congreso (de obra social protestante) será promover y aumentar el intercambio de ideas entre las instituciones sociales protestantes y a la vez entre ellas y los diferentes Organismos Gubernamentales. También se tratará de ayudar a las iglesias locales para que aumenten su alcance social y estudiar urgentes problemas sociales de la vida nacional en Chile.[78]

Lamentablemente, como señala el teólogo Juan Sepúlveda[79], por el volumen de los recursos involucrados, el departamento creado llegó a ser más poderoso que el propio CEC y aparecieron los conflictos por la distribución de los recursos que produjeron una crisis en el CEC y su posterior extinción. La trascendencia de este proceso, quizás mal

---

[76] En el Congreso de Panamá las iglesias pentecostales no fueron invitadas a participar por no ser consideradas parte de la familia evangélica.

[77] J. Sepúlveda, *De peregrinos a ciudadanos*, p. 122.

[78] *El Despertar*. Chile: 1963. No. 45.

[79] J. Sepúlveda, *De peregrinos a ciudadanos*, p. 126.

encaminado, valió particularmente para las iglesias pentecostales para acercarlas a una experiencia nueva de participación en torno a la responsabilidad social.

En búsqueda de la representatividad corporativa evangélica en Chile nació en 1961 el Concilio Evangélico Independiente de Chile, que a dos años de su origen pasó a llamarse Confederación Evangélica de Pastores de Chile. Esta nueva instancia agrupó cerca de cien iglesias de todo el país y se guió bajo la pretensión de "unir en un solo bloque a la gran mayoría de las iglesias y denominaciones del país". El organismo estuvo coordinado en algunos períodos por miembros de iglesias pentecostales, quienes expusieron su deseo de dar a conocer al país la fuerza numérica que constituían los evangélicos en Chile. Para ello celebraron desfiles multitudinarios en la ciudad que exhibían a la población evangélica portando banderas chilenas, estandartes y lienzos, validando así, todavía, la evangelización como único medio de intervención social.

8. Conclusión

Los dos períodos históricos aquí tratados se circunscriben a los proyectos nacionales de mayor envergadura en la historia de Chile: el modelo de desarrollo de industrialización y el plan reformista-desarrollista. Ambos fueron eventos de alto impacto sobre la vida de la ciudad y sus habitantes.

Hasta principio de la década de 1950 el pentecostalismo era todavía una religiosidad joven, con poca experiencia e historia si la comparamos con las demás denominaciones eclesiásticas del país. Aún conservaba y hacía valer algunos de los elementos religiosos que a principio de siglo le dieron origen e identidad, pero sobre esas cualidades aportó un marcado acento milenarista y militante que llevó al movimiento a tener una preocupación obsesiva por dar a conocer el mensaje de "salvación" y el inminente "advenimiento de Cristo a la tierra" a toda la población del país. Surgía así un mensaje de "salvación" paralelo a los discursos oficialistas y de otros actores sociales del período.

Durante la década de 1960 el pentecostalismo ya es un componente de la ciudad, reconocido por él mismo y por otras fuerzas religiosas, que manifestó supremacía en ciertos sectores urbanos, como las poblaciones. Poco a poco se fue despojando de su condición de "refugio" en la medida que los anhelos de cambios expuestos por el clima de la época y el reformismo le acercaron a la reflexión, apertura y diálogo con otros discursos y denominaciones religiosas. En ese punto el campo ideológico pentecostal mostró sus primeros flancos de diversificación, lo que llevó a algunas comunidades a arraigarse en su condición de refugio milenarista, y a otras a institucionalizarse y a buscar nuevos rumbos de acción y espacio para ejercer una tarea social que intentara ir más allá de la evangelizadora. No podemos atrevernos a pensar que este fue el cauce de una participación activa, sino sólo el primer experimento que le valió al pentecostalismo para romper el caparazón y salir a descubrir su rol en medio de la sociedad.

Aun cuando los creyentes pentecostales en la década de 1950 rechazaban todo discurso político y moderno, y predicaban con fervor un reino milenario de bienestar y la segunda venida de Cristo a la tierra como el inicio de la superación de todos los males, en los años de la década de 1960 se veían caminando por la línea del ascenso social y la institucionalización de sus iglesias ya arraigadas en el espacio de la vida urbana de Santiago. Esto se debe a que el pentecostalismo es un fenómeno urbano y no es inmune a los efectos que la modernidad ejerce en ese espacio. A los pentecostales, en su relación con la ciudad, se puede aplicar lo que Marshall Berman anotó respecto a la modernidad:

> Ser modernos es encontrarnos en un entorno que nos propone aventuras, poder, alegría, crecimiento, transformaciones de nosotros y del mundo y que, al mismo tiempo, amenaza con destruir todo lo que tenemos, todo lo que sabemos y todo lo que somos (…).[80]

Este trabajo sólo puede atribuirse el hecho de mostrar una pequeña generalidad pentecostal en la ciudad de Santiago entre 1950 y 1970, puesto que quedan muchas otras comunidades como pequeños mundos por indagar, pero ha significado un esfuerzo por someter al pentecostalismo a un laboratorio experimental histórico, como fue la ciudad durante el período señalado, que puso a prueba sus condiciones de adaptación y la constitución de su imaginario religioso. Para la historiografía social queda mucho por hacer y descubrir, porque en el mismo barrio donde vivió el dirigente sindical también lo hizo un confesionante pentecostal, cada uno con su propio ideario pero ambos habitantes de una realidad social en común.

[80] M. Berman, *Todo lo sólido se desvanece en el aire. La experiencia de la modernidad*. México: Siglo XXI editores, 2006, 16a. edición, p. 3.

Bibliografía:

Revistas:

Chile Pentecostal (1950-1970): Iglesia Metodista Pentecostal de Chile.
Despertar (1956-1970): Iglesia de Dios Pentecostal.
Fuego de Pentecostés (1950-1970): Iglesia Evangélica Pentecostal.
Mensaje (1951-1970): Orden católica Compañía de Jesús.
El Heraldo Cristiano (octubre de 1920): Iglesia Metodista e Iglesia Presbiteriana.

Libros y artículos:

Ahumada, Jorge, *En vez de la miseria*. Chile: Editorial del Pacífico, 1958.
Almandoz, Arturo, Notas sobre Historia Cultural Urbana: Una perspectiva latinoamericana, en: www.etsav.upc.es/urbpersp. Consultado el 15 de noviembre de 2008.
Berman, Marshall, *Todo lo sólido se desvanece en el aire. La experiencia de la modernidad*. México: Siglo XXI editores, 2006, 16a. edición.
Chiquete, Daniel, Metamorfosis sagrada: Apuntes socio-teológicos sobre algunas concepciones urbanas y arquitectónicas en el pentecostalismo, en: *Si somos americanos*. Revista electrónica de Sociología de la Universidad Arturo Prat. Iquique: 2009.
Correa, Sofía y otros, *Historia del siglo XX chileno. Balance paradojal*. Chile: Editorial Universitaria, 2001.
De Ramón, Armando, *Historia de Chile. Desde la invasión incaica hasta nuestros días (1500 -2000)*. Santiago de Chile: Catalonia Ltda. 2006, 4a. edición.
De Ramón, Armando, *Santiago de Chile (1541-1991)*. Chile: Editorial Sudamericana, 2000.
Espinoza, Vicente, *Para una historia de los pobres de la ciudad*. Santiago de Chile: Ediciones Sur, 1988.
Hurtado, Alberto, *¿Es Chile un país católico?*, Chile: Editorial Splendor, 1941.
Lagos, Humberto y Arturo Chacón, *Los evangélicos en Chile. Una lectura sociológica*. Chile: Lar; Ediciones Literatura Americana Reunida; Presor; Programa Evangélico Socio-religioso, 1987.
Lalive d'Epinay, Christian, Pastores chilenos y abertura hacia el ecumenismo, en: *Mensaje*. Chile: 1967. No. 163, págs. 478-484.
Lalive d'Epinay, Christian, "Sociedad dependiente", "clases populares" y milenarismo: Las posibilidades de mutación de una formación religiosa en el seno de una sociedad en transición. El pentecostalismo

chileno. *Cuaderno de la Realidad Nacional*. Chile: 1972. No. 14, págs. 96-112.

Lalive d'Epinay, Christian, *El refugio de las masas*. Chile: Editorial del Pacífico, 1968.

Lalive d'Epinay, Christian, La conquista pentecostal en Chile: Elementos para su mejor comprensión, en: *Mensaje*. Santiago: 1968, No.170, págs. 287-293.

Orellana, Luis, *El fuego y la nieve. Historia del movimiento pentecostal en Chile: 1909-1932.* Concepción, Chile: CEEP Ediciones, 2008.

Ossa, Manuel, *Espiritualidad popular y acción política.* Chile: Rehue, Centro Ecuménico Diego de Medellín, 1989.

Poblete, Renato y Carmen Galilea, *Movimiento pentecostal e iglesias católicas en medios populares*. Chile: Centro Belarmino, 1984.

Rama, Ángel, *La ciudad letrada*. Uruguay: Comisión Uruguaya Pro Fundación Ángel Rama.

Romero, José Luis, *Latinoamérica. Las ciudades y las ideas.* Argentina: Editorial Siglo XXI, 1986, 4a. edición.

Salinas, Maximiliano, *Historia del pueblo de Dios en Chile. La evolución del cristianismo desde la perspectiva de los pobres.* Chile: Ediciones Rehue, 1987.

Sepúlveda, Juan, *De peregrinos a ciudadanos. Breve historia del cristianismo evangélico en Chile*. Santiago: Fundación Konrad Adenauer y Comunidad Teológica de Chile, 1999.

Tennekes, Hans, *El movimiento pentecostal en la sociedad chilena*. Chile: Sub-facultad de Antropología Cultural de la Universidad Libre de Amsterdam; Centro de Investigaciones de la Realidad del Norte (CIREN), 1985.

Vergara, Ignacio, Avance de los "evangélicos" en Chile, en: *Mensaje*. Chile: 1955. No. 41, págs. 257-262.

Vergara, Luis, *El protestantismo en Chile*. Chile: Editorial del Pacífico, 1961.

Entrevistas:

Gladys Benavides, 68 años. Entrevistada por A. Barrios en junio de 2009.

Rubén Bravo, 70 años. Entrevista realizada por A. Barrios en septiembre de 2009.

Estudio 2

Metamorfosis sagrada. Apuntes socio-teológicos sobre algunas concepciones urbanas y arquitectónicas en el pentecostalismo

Daniel Chiquete

1. Introducción

La arquitectura es siempre más que construcciones. Es la acción del ser humano sobre su entorno para generar o transformar los diversos espacios que necesita para el desarrollo de la vida. Estos espacios revelan formas humanas de habitar, organizarse, trabajar, creer y ser. Por reflejar las ideas y las ideologías de sus constructores, ya sea como individuos o grupos, los edificios pueden entenderse como signos o símbolos, portadores de un mensaje y exponentes de una visión del mundo.[81] Asimismo, la ubicación de los edificios construidos en el espacio geográfico y urbano es una forma de situarse frente ese espacio, de la comprensión de su entorno vital, lo que puede revelar mucho de la identidad y auto comprensión de un grupo determinado de la sociedad.[82] En este sentido, la arquitectura y el urbanismo son también productos sociales y partícipes del entramado social.

Los conflictos sociales se objetivizan en los espacios que los diferentes grupos determinan, ya sea por apropiación, negación o transformación. En toda ciudad los grupos sociales se identifican por la arquitectura que producen y por los espacios urbanos en que se sitúan. Así, es posible leer la historia social de una ciudad por medio del estudio de su arquitectura y urbanismo. Por ello la historia social y la historia urbana-arquitectónica pueden leerse como una única historia, diferenciándose sólo por los énfasis que cada disciplina determina.

En su calidad de símbolos y signos, los espacios construidos son capaces de provocar reacciones en quienes los usan o los contemplan. Los mensajes emitidos pueden comprenderse racionalmente en algunos casos,

---

[81] K. Richter, Heilige Räume: Eine Kritik aus theologischer Perspektive, en: D. Ansorge, Ch. Ingenhoven y J. Overdiek, editores, *Raumerfahrungen. Raum und Transzendenz. Beiträge zum Gespräch zwischen Theologie, Philosophie und Architektur, Bd. 1*. Münster: LIT, págs. 82-100, p. 82.

[82] Z. Rosendahl, *Espaço e religião. Uma abordagem geográfica*. Rio de Janeiro: UERJ; NEPEC, 1996, p. 38.

aunque en la mayoría sólo son asumidos de manera inconsciente, son más sentidos que entendidos. Sus mensajes pueden ser claros o confusos, ambiguos o polisémicas.[83] También debe tomarse en cuenta, que como las palabras en diferentes contextos, así también las construcciones en diferentes espacios urbanos pueden transmitir mensajes diversos.

A nivel geográfico, también las ciudades en su conjunto son portadoras de mensajes, y se requiere de la participación de varias disciplinas para el desciframiento de esos mensajes. Ciencias como la Sociología, el Urbanismo, la Psicología Social, la Historia y la Geografía, entre otras, pueden participar en el trabajo de hermenéutica urbana. En particular, creo que también la Teología y la Sociología de la Religión pueden aportar mucho en este esfuerzo interpretativo, pues las ideas religiosas y el poder de las instituciones que las promueven han jugado un papel central en la conformación de las ciudades en todo el mundo durante toda la historia, así como en la formación de las identidades grupales.[84]

Tomemos como un ejemplo sencillo a las catedrales o iglesias mayores en nuestro continente. Ellas ocupaban en su fundación por lo general el lugar más céntrico de un emplazamiento, y a partir de ellas se organizaba urbanística y socialmente la ciudad. Las clases ricas quedaban ubicadas cercanas del centro, luego venían las clases medias o "arribistas", y las pobres eran desplazadas hacia las periferias. Con el tiempo, y con las posibilidades de comunicación y transporte, y después de cambios en el uso y valorización de los espacios urbanos, las clases altas estuvieron en posibilidad de desplazarse "más allá" de las periferias urbanas, llevándose todos los servicios urbanos y la plusvalía del suelo, transformando con ello la visión tradicional que concebía el centro como reservado a los ricos y la periferia a los pobres.

En su concepción original, las catedrales eran también el edificio más alto de la ciudad, con lo que simbolizaban el poder de la institución religiosa que representaban. También es de notarse que en las ciudades latinoamericanas el núcleo urbano lo constituyen desde su origen colonial la Catedral, el Palacio de Gobierno o Ayuntamiento, la Casa de la Moneda y la Plaza de Armas, mostrando así la unidad simbólica y fáctica

---

[83] G. Pfeifer, Raum und Psychologie: Anmerkungen aus der Sicht eines Architekten, en: D. Ansorge, Ch. Ingenhoven y J. Overdiek, editores, *Raumerfahrungen. Raum und Transzendenz. Beiträge zum Gespräch zwischen Theologie, Philosophie und Architektur, Bd. 1*. Münster: LIT, 1999, págs. 11-35, p. 18.

[84] W. Grünberg, *Die Sprache der Stadt. Skizzen zur Großstadtkirchen*. Leipzig: Evangelische Verlagsanstalt, 2004, págs. 49-62.

entre los poderes religioso, económico, político y militar, base de la estructura del dominio colonial. En la actualidad, los bancos y los edificios de grandes empresas transnacionales disputan con ventaja ese posicionamiento central en el mapa urbano: es el reflejo del triunfo de la economía neoliberal y sus símbolos, los que se han impuesto en nuestro sistema económico y cultural de capitalismo periférico subdesarrollado. Considero que hay una directa correspondencia en el pentecostalismo latinoamericano entre la pertenencia social y la visión teológica, y que ambas son, a su vez, influyentes en la forma de sus espacios para el culto religioso y en la ubicación de éstos dentro del espacio urbano.

Desde este trasfondo, en este artículo me propongo compartir algunos apuntes respecto a la relación entre el mundo social y la visión teológica-religiosa del pentecostalismo, y sobre la incidencia de este binomio en la comprensión pentecostal de la arquitectura y el urbanismo.[85] Organizaré mi reflexión en dos segmentos, lo urbano y lo arquitectónico, aunque consciente que ambos obedecen a circunstancias y motivaciones interrelacionadas. Para sustentar mejor mis opiniones, en forma breve quiero compartir alguna información que permita situar mis aseveraciones desde la perspectiva de la Teología Histórica, nombre que viene desplazando el tradicional de Historia de la Iglesia.

2. Preámbulo histórico mínimo

La construcción de los templos pentecostales está determinada principalmente por dos factores: 1) la composición social de las comunidades que los construyen, y 2) las ideas teológicas dominantes en la tradición religiosa de esas comunidades. La composición social dejará su impronta en la construcción de sus lugares de culto debido a la formación estética (o falta de ella) de sus miembros, la disponibilidad de recursos económicos para construir, el lugar de la ciudad donde pueden construir, las tensiones sociales al interior del grupo, entre otros.

Es evidente que hasta los años 80 las comunidades pentecostales se caracterizaban por una relativa homogeneidad social. En los últimos años la composición interna se ha ido modificando pero, en términos generales, se han mantenido características de grupo que permiten estudiarlas como unidades sociales, si bien unidades en tensión. Es así

[85] Me limitaré a la exploración de algunos pocos elementos, donde la relación entre la Sociología y la Teología son más evidentes. He desarrollado el análisis teológico de la arquitectura pentecostal en otros trabajos, especialmente en: D. Chiquete, *Silencio elocuente. Una interpretación teológica de la arquitectura pentecostal*. San José, Costa Rica: CETELA, 2006.

que es posible aproximarse a la exploración de las dimensiones y funciones sociales de la arquitectura pentecostal desde el estudio de la composición social de las comunidades. Para apreciar mejor las dimensiones y funciones sociales de la arquitectura pentecostal es importante tener presente cierta perspectiva histórica, especialmente visualizar el origen y la evolución de algunas de las ideas religiosas centrales del movimiento.

El pentecostalismo nació como movimiento de renovación religiosa con carácter marcadamente milenarista. En las primeras décadas del movimiento una convicción dominante era que el Señor regresaría en cualquier momento a la tierra para llevarse a sus fieles al cielo. Por ello la construcción de templos no fue prioritaria, más bien hubiera sido visto como un sinsentido o falta de fe. Además, el pentecostalismo surgió como una religiosidad muy centrada en la transformación de la persona, con una espiritualidad que promovía el encuentro de cada creyente con el Espíritu Santo y el posterior ejercicio de los dones por Él concedidos. Esas creencias limitaban el interés por los espacios de culto de la religión: la experiencia personal, interior, restauradora, era lo más importante, en tanto que lo exterior era de interés secundario. Era más importante tener siempre listo "el cuerpo de Cristo" o iglesia para el ansiado momento del encuentro con el Señor que construir lugares de culto que tal vez no iban a ser usados por mucho tiempo.

En sus orígenes en los Estados Unidos, el pentecostalismo fue un movimiento interétnico, donde blancos, negros e inmigrantes de las más diversas nacionalidades y oficios celebraban juntos los servicios religiosos. La experiencia espiritual intensa era un factor homogeneizador que daba cohesión social a los primeros pentecostales: todos y todas se sentían hermanados por el avivamiento espiritual y las diferencias sociales y étnicas dejaban de tener importancia, al menos en ese período inicial.[86]

Tanto en los Estados Unidos como en Latinoamérica, los lugares de reunión de las primeras comunidades pentecostales eran muy sencillos, sin grandes pretensiones estéticas, siendo con frecuencia sólo casas particulares de algunos de los miembros de las comunidades, bodegas, fábricas y carpas, las que se convertían en lugares de encuentro e

[86] Anota V. Synan, *El siglo del Espíritu Santo*, p. 15: "Los aspectos interraciales de Azusa fueron una excepción notable frente al racismo y la segregación imperantes en esa época. El fenómeno de que blancos y negros adoraran juntos bajo el liderazgo de un pastor negro, parecía increíble para muchos observadores."

identificación social y religiosa, y donde generalmente se diluía cualquier distintivo social. Todas las personas participantes se volvían un cuerpo en la búsqueda de una experiencia religiosa intensa de renovación. En esos inicios no hubo una arquitectura pentecostal propia, sino sólo espacios que se usaron para las prácticas cúlticas pentecostales, los que con el tiempo se fueron adaptando de acuerdo a las necesidades litúrgicas y otras actividades que la comunidad fue asumiendo.[87]

Pero, ¿cuáles son las experiencias e ideas heredades que posibilitaron que en el pentecostalismo no hubiera un interés real por la creación de una arquitectura específica? ¿Qué visión teológica daba el sostén ideológico a estos grupos para romper con la tradición de rendir culto religioso sólo en lugares específicamente consagrados para ello? Creo que una rápida visión a la historia de la iglesia puede ayudar a entender mejor esta disposición.

El cristianismo nació como una religión sin templos. Los templos cristianos surgieron sólo con la adopción del cristianismo como religión imperial en el tiempo del emperador Constantino, en el siglo IV. Los primeros modelos de iglesias reproducen en su organización espacial la estructura social del Imperio, que era en forma piramidal, teniendo al Emperador en la cúspide, lugar que en la jerarquía eclesiástica ocuparía el obispo de la ciudad más importante del Imperio.[88]

En el tiempo previo a la Reforma las iglesias eran el lugar de trabajo del clero, y la organización jerárquica clerical se materializa en los espacios de las iglesias, por ejemplo, en la forma de colocar las sillas, la cual seguía una estricta ordenación según jerarquías y funciones eclesiásticas. También se marcaba espacialmente la diferencia y distancia entre el clero y el pueblo laico. El lugar más importante estaba reservado al Príncipe. Las capillas laterales estaban a disposición de determinadas asociaciones y gremios. El espacio interno de las iglesias reflejaba la organización social, por lo que las familias ricas se podían sentar en las primeras bancas y las pobres se mantenían de pie en la parte posterior del templo.[89] De cualquier modo, el pueblo no entendía el latín de la misa ni tenía idea clara del significado de los ritos celebrados.

---

[87] D. Chiquete, *Silencio elocuente*, págs. 68-73.

[88] J. Anaya Duarte, *El templo en la teología y la arquitectura.* México: Universidad Iberoamericana, 1996, págs. 109-119.

[89] W. Grünberg, Was ist eine Kirche – Wahrzeichen, Versammlungsraum, Gotteshaus?, en: W. Grünberg, editor, *Räume riskieren. Reflexion, Gestaltung und Theorie in evangelischer Perspektive*. Schenefeld: EB-Verlag, 2003, págs. 158-179, p. 169-175.

La Reforma tuvo cierto efecto igualitarista, especialmente debido a su enseñanza del "sacerdocio universal de todos los creyentes", la que teóricamente ponía al mismo nivel a clérigos y laicos, hombres y mujeres, ricos y pobres. La predicación, expuesta en los idiomas vernáculos, se convierte en el momento litúrgico más importante, desplazando al rito del sacrificio eucarístico o misa. La arquitectura interna se modifica para que la acústica mejore y eso lleva a un acercamiento físico y óptico entre el predicador y la comunidad oyente. Pero una vez escuchada la predicación y celebrados los sacramentos, reducidos a dos por el protestantismo, las iglesias se convertían de nuevo en espacios sociales donde se podía enseñar, convivir, realizar transacciones comerciales, tomarse acuerdos comunitarios.[90]

Para el siglo XIX las iglesias habían perdido su papel como lugar de administración política y de control social que habían ido adquiriendo en el transcurso de los siglos XVII y XVIII. Su función social terminó de ser transferida a otros espacios comunitarios, como el mercado y la plaza pública. En el siglo XX las comunidades protestantes se siguen desarrollando todavía como espacios sociales, pero no es el templo el lugar principal del intercambio social, sino la casa de la comunidad, los espacios de la escuela bíblica u otro espacio específicamente construido para la convivencia comunitaria.

El concepto de culto en el protestantismo es siempre más independiente del templo y más cercano al espacio social que constituye la comunidad celebrante. La espiritualidad protestante no se centra en el templo, sino que se despliega en todas las áreas de la vida. Culto y vida social están estrechamente ligados, especialmente en la ética del trabajo. Es en la vida cotidiana que se rinde culto a Dios. La sacralidad se vuelve por ello más amplia, al mismo tiempo que más difusa. El protestantismo convierte su religiosidad en ética, y toda ética sólo se puede desplegar y concretizar socialmente.[91]

Cuando surge el pentecostalismo ya estaba, entonces, abonado el terreno para el surgimiento de una espiritualidad que no dependía del templo para expresarse. El creyente pentecostal vive su fe de manera individual de forma intensa y, en un primer momento, de manera vertical, en una relación individuo-divinidad. Pero luego se avoca a compartir su experiencia horizontalmente en todos los espacios donde

---

[90] D. Chiquete, *Silencio elocuente*, págs. 208-210.

[91] M. Weber, *La ética protestante y el espíritu del capitalismo*. Barcelona: Península, 1969.

desarrolla su vida, generando un movimiento expansivo, que va del individuo a la familia, al vecindario, al barrio, a la ciudad. El templo es así un lugar importante, más no exclusivo, para el encuentro con el Espíritu Santo, pero son todas las áreas del espacio urbano a las que luego se dirigirá para comunicar su experiencia religiosa.

Esta dimensión urbana de la religiosidad pentecostal es muy importante, aunque es un área que no ha sido estudiada con amplitud. Pero empíricamente, y a través de información marginal que se puede obtener de estudios que abordan otros aspectos del pentecostalismo, se constata una tendencia básica de crecimiento y expansión que sigue patrones repetitivos y similares. Cuando una comunidad adquiere cierto tamaño y complejidad, se generan dinámicas que tienden a la reproducción del grupo ya sea por división o por trabajo evangelístico organizado. Grupos que se separan por cuestiones doctrinales, administrativas, de luchas de poder o de otra índole, tienden a conformarse en comunidades independientes, dentro de la tradición pentecostal, pero con énfasis propios. Otra manera es la organización de subsedes en barrios o sectores de la ciudad considerados estratégicos. Con diferentes nombres en diferentes países o dominaciones (centros de predicación, misiones, avanzadas, etc.), las comunidades grandes tienden a expandir la organización en forma de redes. De esta manera, la ciudad va siendo ocupada por una red de comunidades pentecostales de diferentes orientaciones, tamaños, presencia social y otras características. Estas comunidades construyen sus propios templos o adaptan espacios para el culto religioso. Así, la expansión pentecostal en el espacio urbano va acompañada por una presencia óptica más o menos perceptible para la sociedad general. Urbanismo y arquitectura pentecostales van así "marcando espacios" al mismo ritmo que la religiosidad pentecostal va ganando adeptos y "espacios sociales" en América Latina.

3. ¿Urbanismo sacralizado? Los pentecostales y su experiencia de la ciudad

El pentecostalismo es un fenómeno religioso fundamentalmente urbano y semi-urbano. La ciudad es el único espacio posible para que se den cita los factores que permiten la irrupción de esta expresión cristiana que se nutre de múltiples elementos, algunos de los cuales se presentan como paradójicos entre sí. En sus orígenes en los Estados Unidos, las ciudades fueron el escenario primero de su aparición. La más importante de ellas, Los Ángeles, se caracterizaba al inicio del siglo XX, como sigue caracterizándose todavía a principios del siglo XXI, por ser una ciudad multiétnica, multilingüística, polo de confluencia de ideas y grupos humanos muy diversos, con una economía dinámica y una oferta laboral suficientemente amplia para atraer a personas de diversa índole y latitudes.[92] Una sociedad con estas características se convierte en escenario y laboratorio de ensayo de diversas propuestas políticas, sociales y religiosas. A principios del siglo XX era la ciudad ideal para convertirse en uno de los polos más importantes para el surgimiento y expansión de un movimiento carismático con las características del pentecostalismo.

La complejidad del pentecostalismo surgido ahí es un reflejo de la complejidad social contenida en esa ciudad y de la complejidad de sus raíces religiosas y teológicas.[93] Grupos del protestantismo evangélico con afanes de renovación espiritual, de negros en lucha por sus reivindicaciones sociales y políticas, e impregnados por su religiosidad africana ancestral, de inmigrantes latinoamericanos en búsqueda de opciones de vida más favorables, de asiáticos de segunda y tercera generación moviéndose entre dos mundos culturales, de europeos buscando la tierra prometida después de ser arrojados de sus propias tierras por la pobreza, y otros grupos, cada uno cargando sus mentalidades, expectativas, intereses y religiones, confluyen en ese gigantesco laboratorio humano llamado Los Ángeles.[94] El pentecostalismo que allí se originará y se expandirá a muchas partes del mundo estará marcado por la experiencia humana y religiosa asumida en esa ciudad. Muchas metáforas religiosas, actitudes cúlticas, ideas eclesiológicas y soteriológicas, llevarán la impronta de la experiencia urbana de esos primeros pentecostales.

Acontecidas sus primeras experiencias carismáticas en casas o escuelas humildes, el pentecostalismo desde sus orígenes quedará ligado afectiva y tácticamente a estos espacios profanos. Por ello, la actuación del Espíritu Santo no se concebirá nunca circunscrita a espacios tradicionalmente comprendidos como "sagrados", como los templos.[95]

---

[92] F. Bartleman, *Azusa Street. El avivamiento que cambió el mundo*. Buenos Aires: Peniel, 2006, 2a. edición; V. Synan, *El siglo del Espíritu Santo. Cien años de renuevo pentecostal y carismático*. Buenos Aires: Peniel, 2005.

[93] D. Dayton, *Theological Roots of Pentecostalism*. Metuchen, N.J.; London: The Scarecrow Press, 1987.

[94] V. Synan, *El siglo del Espíritu Santo*.

[95] La siguiente narración de la primera experiencia pentecostal ayuda a situarnos en el ambiente de esos orígenes: "En una casa de la calle Bonnie Brae 214 cayó por primera vez el Pentecostés sobre Los Ángeles el 9 de abril de 1906, cuando varias personas hablaron en lenguas. (...) El fenómeno del don de lenguas y el dinámico mensaje fueron tan emocionantes que a la noche siguiente se reunió aún más

La casa de una familia negra en una calle insignificante de la ciudad (Bonnie Brae 214) marcará el hito histórico-religioso del origen del pentecostalismo, para luego pasar por necesidad de espacio de la casa a la calle. Esta dinámica se repetirá en la expansión pentecostal: de la casa → a la calle → a la plaza → a la ciudad será un movimiento expansivo típico. Dentro de este esquema se irán incluyendo la fábrica, la carpa, el mercado y, posteriormente, el estadio y otros espacios de gran capacidad.

También el pentecostalismo establecido en Latinoamérica, con o sin influencia directa del fenómeno de Los Ángeles, presentará dinámicas similares. Respecto al caso chileno, informa Luis Orellana:

> Sus lugares de reunión [hacia 1932] eran modestos y sencillos, se ubicaban en la periferia de las ciudades y localidades urbanas y semi-urbanas pero con estrechos vínculos rurales. Las personas que integraban las comunidades eran obreros, labradores, campesinos, inquilinos, lavanderas, vendedores ambulantes, ex presidiarios, etc.,...[96]

Lo que Orellana registra para Chile es similar para la mayoría de los países de Latinoamérica. Así pues, se percibe que el pentecostalismo surgirá en las ciudades, pero entre gente que no disfruta las ventajas de la ciudad, sino que sufre sus desventajas, que han sido obligadas a vivir en las periferias, en ese espacio que no es del todo urbano pero que tampoco es el rural que muchos de los primeros pentecostales conocen por proceder de él.

Los creyentes pentecostales de las primeras generaciones estarán impregnados por una experiencia urbana conflictiva. Por lo general, serán los pentecostales gente que percibirá la ciudad como un escenario de conflictos donde hay que luchar mucho para adaptarse a ella, por no ser expulsados de ella nuevamente hacia sus lugares de origen, de donde han salido buscando mejores opciones de vida.[97] La ciudad será para ellos

---

gente en la calle, delante de la entrada de la casa, para escuchar al hermano Seymour predicar sobre un púlpito improvisado en el porche." Tomado de R. Owens, El avivamiento de la calle Azusa, en: V. Synan, *El siglo del Espíritu Santo*, págs. 53-86.

[96] L. Orellana, *El fuego y la nieve. Historia del movimiento pentecostal en Chile: 1909-1932. Tomo 1.* Concepción, Chile: CEEP Ediciones, 2006, p. 112.

[97] Señala A. Barrios, ¿Ser comunista o pentecostal? Respuestas sociales en el contexto de modernización en las periferias urbanas de Santiago a finales de los 50. Trabajo inédito. Universidad de Chile. Facultad de Filosofía y Humanidades, Departamento de Ciencias Históricas, 2007, en su análisis de la situación chilena en los años 40 y 50: "El modelo industrializador requirió de diversas prevenciones para su funcionamiento. Sin embargo, no fue previsible el crecimiento explosivo de las principales ciudades de Latinoamérica. Miles de campesinos migraron con esperanzas de mejorar en la calidad de vida –salud,

promesa de salvación socioeconómica al mismo tiempo que amenaza de sus valores y cosmovisiones tradicionales.[98]

Algunos de estos aspectos han sido estudiados en investigaciones sobre pentecostalismo de los últimos veinte años, provenientes de diferentes disciplinas científicas. La Sociología, y más específicamente la Sociología de la Religión, ha ido mostrando la relación entre las composiciones y conductas sociales y los sistemas de creencias y conductas religiosas. Precisamente esa es una de las tareas principales de esta disciplina en relación al estudio de los grupos religiosos. Como afirma uno de los principales representantes de esta disciplina en Latinoamérica, el brasileño Leonildo S. Campos:

> La Sociología de la Religión tiene como una de sus metas ligar lo simbólico-religioso y el universo cultural a la realidad social en la que esa interacción se concretiza. Ese universo, todavía, no es algo dado para siempre, sino heredado y continuamente reconstruido. En él, una institución religiosa encuentra la sustentación para su red de símbolos y actividades típicas, símbolos esenciales que mantienen una eficiente capacidad funcional de mediación, cuando están engarzados en una cultura que los garantiza y los legitima.[99]

En Latinoamérica, en las décadas del proceso de mayor institucionalización del movimiento, de 1930 al 1960, el desarrollismo industrial y la pobreza del campo arrojó grandes oleadas de campesinos a las ciudades, los que, al ser repelidos por la dinámica urbana, se asentaron en las periferias de las ciudades, en donde intentaron rearticular su mundo perdido al mismo tiempo que por necesidad intentaron adaptarse a sus nuevas condiciones territoriales y sociales. Ya no vivían en el campo y tampoco pertenecían plenamente a la ciudad. Vivían en una especie de limbo espacial que requerían construir y reconstruir para no perderse en un caos identitario y sociocultural. En esa búsqueda, la experiencia pentecostal jugó un papel fundamental al protegerlos de la

---

vivienda y educación–, atraídos por las ofertas de un Estado que parecía canalizar sus beneficios desde los centros urbanos y las posibilidades de ocupar un puesto de trabajo en el área fabril."

[98] Apunta A. Paulsen, Los espacios de redención en la ciudad contemporánea: Aproximaciones al avivamiento pentecostal de 1909 en Valparaíso, Chile, en: *Scripta Nova.* Revista Electrónica de Geografía y Ciencias Sociales. Universidad de Barcelona. Vol. IX, No. 194 (100), 2005, refiriéndose al avivamiento de Valparaíso de 1909: "... aparecía en el escenario social una tipología de poder, tan escaso y específico como todos, el poder de Dios, el cual desde que se instala es capaz de construir y/o reconstruir 'cielos nuevos y tierras nuevas', espacios de esperanza y de nuevas dimensiones de cambio personal y social".

[99] L. S. Campos, *Teatro, templo e mercado. Organização e marketing de un empreendimento neopentecostal.* Petrópolis; São Paulo; São Bernardo do Campo: Vozes; UMESP, 1999, 2a. Edición, p. 86.

anomia[100], otorgarles la posibilidad de integrarse a redes sociales, tener en el templo un espacio de convivencia espiritual y social, salvaguardar su dignidad humana por medio de una autovaloración como hijos e hijas de Dios y receptores del Espíritu Santo. La identidad pentecostal fue su mejor forma de transformar, al menos emocional y simbólicamente, el caos urbano y semi-urbano agresivo en un espacio ordenado y habitable.

Si en sus orígenes urbanos el pentecostalismo fue un "refugio de las masas" (Lalive d´Epinay), con el tiempo fueron abandonando ese refugio pues se sintieron lo suficientemente fuertes y seguros para salir a expander ese refugio y ofrecerlo a toda la sociedad. Surge una ideología de conquista que se convierte en lema del movimiento a nivel continental: "Chile para Cristo", "Brasil para Cristo", "México para Cristo", etc. La ciudad ya no es un espacio para ser temido y del que hay que defenderse, sino un objetivo de evangelización, a la que hay que salir para anunciar el poder transformador del Evangelio de Jesucristo. Por eso los pentecostales chilenos salen en marchas por las calles cantando alabanzas y predicando en espacios públicos[101]; los pentecostales brasileños penetran en las favelas y ofrecen espacios de reconciliación entre las bandas enemigas; los pentecostales venezolanos se incorporan a proyectos de transformación social, o los inician; los pentecostales mexicanos realizan marchas por las principales calles de sus ciudades proclamando a Jesucristo y exigiendo el fin de la violencia del crimen organizado.

Las ciudades no son espacios neutrales en ningún aspecto. Ellas van creciendo y se van transformando en procesos políticos, económicos, sociales, que pueden ser muy conflictivos.[102] Los grupos humanos van marcándola y transformándola, con frecuencia de manera radical. En ocasiones, esas marcas son como cicatrices en un cuerpo producidas por golpes violentos, como lo muestran las ruinas prehispánicas en la ciudad de México, los espacios dejados después de los desalojamientos violentos en Colombia, el espacio estéril y vacío de lo que fue Managua antes del

---

[100] Ch. Lalive d´Epinay, *El refugio de las masas. Estudio sociológico del pentecostalismo chileno*. Santiago de Chile: Ediciones del Pacífico, 1968.

[101] L. Orellana, *El fuego y la nieve*, págs. 60-62. Anota A. Barrios, ¿Ser comunista o pentecostal?: "La predicación al aire libre es una de las peculiaridades que identifican a la comunidad pentecostal de otros grupos religiosos. Un grupo de evangélicos se reúnen en una calle para cantar y testimoniar su conversión, llamando a las personas al arrepentimiento y a la integración en la comunidad pentecostal. Su origen se debe a los días del avivamiento de 1909, y se constituye desde el cosmos pentecostal en la principal labor y participación de la congregación en el mundo. La predicación o evangelización al aire libre es una cruzada, una lucha contra el mal, y a la vez la remisión de los males de la sociedad a través del conocimiento del evangelio."

[102] G. Pfeifer, Raum und Psychologie, p. 35.

gran terremoto de los 80 en Nicaragua, o lo que son los barrios miserables en todas las periferias urbanas de Latinoamérica.

En ese complejo urbano las religiones y las instituciones religiosas juegan un papel muy importante. La Iglesia Católica ha sido fundamental en la conformación de la imagen urbana de nuestras ciudades, así como en la conformación del mapa mental que todos los latinoamericanos y las latinoamericanas tenemos de nuestras ciudades de referencia existencial. En nuestro sistema de orientación y referencias urbanas las catedrales y otras iglesias importantes por lo general son hitos históricos y arquitectónicos, elementos básicos del mapa mental y emocional de los habitantes de una ciudad. "A dos cuadras hacia el este de la Catedral", "nos encontramos al frente de la Iglesia X", etc., son formas de orientarnos y comunicarnos. Además, la Iglesia Católica, al organizar el espacio urbano en diócesis y parroquias ofrece a sus fieles referencias espaciales específicas, así como un sentimiento de pertenencia espacial y social.[103]

En modo diferente a la Iglesia católica, en el pentecostalismo la territorialidad es informal y fugaz, no limitándose a una estructura territorial formal y perene, expresada como las parroquias y diócesis católicas, que son espacialmente delimitadas y permanentes. El pentecostalismo se conforma en redes y espacios expansivos urbanos menos formales y organizados. Es un proceso de expansión menos controlable y predecible. Las nuevas comunidades pentecostales surgen con frecuencia por iniciativas personales y en espacios improvisados. El movimiento pentecostal va abarcando paulatinamente la ciudad, pero no en forma planificada ni rítmica, sino como un proceso aleatorio y explosivo. La presencia religiosa pentecostal penetra casi todos los espacios urbanos, aunque no siempre deja marcas edilicias: los templos pentecostales no van transformando la imagen urbana en la misma medida que la religiosidad pentecostal sí va transformando la sociedad de una ciudad, al menos algunas de sus capas sociales.

Podría decirse que la expansión urbana pentecostal es un proceso de conquista, de santificación de la ciudad por la estrategia de "ganarle" espacios al "mal" o "mundo". Por ello también es que en países como Brasil, Argentina y otros las comunidades pentecostales adquieren cines, donde habitualmente se exhibían películas pornográficas, y los convierten en lugares de culto, donde se invoca la presencia del Espíritu Santo. De esta manera santifican el lugar, al mismo tiempo que lo convierten en

---

[103] Z. Rosendahl, *Espaço e religião*, págs. 58-63.

base para ampliar la presencia de lo sagrado en la ciudad. Similar lógica se descubre en el uso de estadios y otros lugares de mucha capacidad, que normalmente son usados para espectáculos deportivos o artísticos, y que los pentecostales transforman temporal o definitivamente en lugares de proclamación y oferta de salvación religiosa.

Desde esta perspectiva, me parece que en términos generales la ciudad no siempre es vista por los y las creyentes pentecostales como espacio de perdición, sino que con frecuencia también como espacio de conquista, como posibilidad de hacerla partícipe de las ofertas divinas de redención.[104] Siendo los pentecostales absolutamente renuentes a aceptar hierofanías en espacios naturales (ríos, montañas, árboles) o construidos (templos, iglesias, altares), la única hierofanía que aceptan es la que acontece en las personas mismas, o en la comunidad creyente congregada. Así, los espacios urbanos se convierten en posibilidad y promesa para hacerse receptores de lo sagrado sólo por medio de la presencia de los creyentes pentecostales y de sus comunidades celebrantes. En algunos barrios o centros habitacionales de países como Chile, Brasil, Guatemala o Colombia, cada calle puede tener un templo pentecostal (en ocasiones más de uno). Me parece que para los y las pentecostales esas son formas de "santificar" los espacios urbanos, de marcar de manera material, pero especialmente de forma simbólica, la presencia de lo sagrado en la ciudad.

Para los "outsiders" esas señales no son claramente perceptibles, pero los pentecostales mismos sí son muy sensibles a ellas. Los humildes templos pentecostales, las casas de oración, los lugares de predicación, las plazas de concentración, etc., disputan con ventaja a los grandes hitos y mojones urbanos la resignificación urbana. Esos son "sus espacios", con los que están unidos por experiencias existenciales y religiosas. Son espacios que han adquirido una significación biográfica, una trascendencia que va mucho más allá de la materialidad.[105] Son espacios "vitales" porque marcan hitos en la vida de los creyentes (el pasado "pecaminoso", la conversión, la predicación, el encuentro con lo divino,

---

[104] Señala A. Paulsen, Los espacios de redención en la ciudad contemporánea: "...podemos inferir que los grupos humanos existentes en el interior de un espacio urbano definido, pueden configurar diversas concepciones espaciales de acuerdo a sus formas específicas de vivir, entender y sentir el espacio social que les circunda."

[105] D. Harvey (citado por A. Paulsen, Los espacios de redención en la ciudad contemporánea): "... se debe considerar que las colectividades o grupos sociales existentes en el interior de la ciudad pueden tener una capacidad muy distinta para esquematizar el espacio, y en consecuencia, el espacio urbano resultante es complejo, discontinuo y heterogéneo."

etc.), y son espacios de sacralidad temporal porque ahí experimentan o experimentaron la presencia o la revelación de lo divino, el encuentro con lo numinoso, el descubrimiento de la trascendencia, pero de manera puntual. Por ello considero que el pentecostalismo tiene una experiencia muy propia de lo urbano, como espacio que puede experimentar un cambio en su identidad ontológica: que puede ser "santificado", y en cuyo proceso de santificación los creyentes pentecostales son los principales instrumentos de Dios para hacerlo. Ellos se sienten partícipes activos de una especia de "metamorfosis sagrada" de los espacios urbanos y arquitectónicos.

Una de las imágenes más presentes en el imaginario religioso pentecostal es marcadamente urbana: la Nueva Jerusalén. Descrita en el libro del Apocalipsis, capítulo 21, como un enorme cubo, cuyas calles son de oro puro, sin templo pues Dios la habita plenamente, sin sol ni luna porque el Señor la ilumina, con doce puertas maravillosas que sólo sirven para entrar y no para salir, donde no existe la muerte ni el dolor, con un río transparente como el cristal que irriga el árbol de la vida, el que ofrece frutos de salvación a las naciones. La aspiración de casi cada creyente pentecostal es habitar esta ciudad, y ese anhelo está reforzado de manera correspondiente por el contraste con su propia experiencia de la ciudad terrestre, pues generalmente el creyente pentecostal es habitante de zonas insalubres, con deficientes o no existentes servicios urbanos, donde sí existe muerte y dolor y las calles son polvorientas y de difícil tránsito. Los cantos pentecostales con frecuencia aluden a la esperanza de llegar a esta ciudad celestial, lo que implícitamente significa la expresión de su insatisfacción de la ciudad real. Las imágenes urbanas de la Biblia son un referente importante en su esperanza futura, y al expresar su anhelo de estar allá implícitamente critican las condiciones de su ciudad terrenal actual.

Otra gran imagen urbana que marca la religiosidad pentecostal es la del "Reino de Dios", tema central de la predicación de Jesús de Nazaret. Aunque Jesús principalmente se refería al "reinado de Dios" sobre la vida de las sociedades humanas, es decir, uno basado en la justicia, la santidad y la fraternidad entre las personas, y las imágenes que usó en sus parábolas para ilustrarlo son rurales y no urbanas, en el pentecostalismo este Reino es concebido principalmente como un lugar topográfico que tiene a Dios o a Jesucristo como el rey y donde los creyentes ocuparán lugares de prominencia. Dios ejerce su dominio y lo comparte con los suyos y las suyas. Así pues, esta imagen es compensatoria a la falta de poder terrenal de la mayoría de los y las creyentes pentecostales, que por ello tienen que vivir en espacios urbanos poco ventajosos y desde los cuales reelaboran su imaginario religioso.[106] El Reino de Dios es concebido espacialmente y como una dinámica de inversión de poderes fácticos y no como una forma de convivencia donde se vive una lógica diferente a las sociedades contemporáneas.[107]

Estas y otras imágenes bíblicas urbanas son interpretadas y asumidas por los creyentes pentecostales desde su propia experiencia de la ciudad. Su visión teológica pasa por el lente de una hermenéutica eminentemente urbana. La ciudad y sus espacios son referentes primarios en su forma de concebir lo sagrado y de formular su esperanza cristiana.

4. Componentes socio-teológicos de la arquitectura pentecostal

En el pentecostalismo los componentes sociales y los teológicos están indisolublemente ligados en la comprensión y construcción de sus lugares para el culto, o templos. La visión teológica pentecostal está mediada por la pertenencia social y las experiencias socio-urbanas propias de los creyentes pentecostales. A su vez, sus experiencias religiosas son la principal fuerza de motivación para transformar sus condiciones sociales adversas, incluyendo los espacios materiales donde desarrollan su vida, al menos en muchos casos. Por ello, la arquitectura pentecostal sólo puede ser adecuadamente comprendida tomando en consideración ambos aspectos, lo social y lo religioso, tanto de manera independiente como en sus intrínsecas relaciones de interdependencia. En las próximas líneas me propongo presentar sólo sintéticamente algunos de los argumentos que he desarrollado con mayor amplitud en otros trabajos, aunque también agregando nuevas intuiciones y observaciones.

---

[106] Coincido con la siguiente apreciación de G. Alvarado López, *El poder desde el espíritu. La visión política del pentecostalismo en el México contemporáneo.* Buenos Aires: Libros de la Araucaria, 2006, p. 187: "Se puede decir, con cierta certidumbre, que el Pentecostalismo cumple múltiples funciones en estos sectores marginados de la población: el Pentecostalismo les ofrece normas de conducta, una participación activa dentro de la organización, modifica las vidas de los creyentes, los dota de prestigio social, crea vínculos comunitarios, propicia una relación muy cercana entre dirigentes y congregación; el acceso a las experiencias sacras se generaliza; se canalizan demandas sociales por vías rituales."

[107] Según A. Paulsen, Los espacios de redención en la ciudad contemporánea: "Es por esto que sin importar la condición que presenten los individuos en la sociedad, si el proceso de construcción del espacio inevitablemente deviene en relación de fuerzas de dominación, es menester esperar que hasta los espíritus más dominados ejerzan al menos una de las pocas facultades humanas que le van quedando en el círculo de su localidad, la organización y construcción de su propio espacio pertrechado para los avatares de la sobrevivencia diaria, en un mundo cuya única propuesta espacial, no está 'hecha a su medida'".

Voy a plantear tres convicciones teológicas que son muy importantes en el ideario pentecostal en relación a su comprensión y construcción de sus espacios para el culto, las que están muy ligadas entre sí, dos de ellas procedentes de una lectura literalista de la Biblia y una como herencia de sus raíces o influencias protestantes. La primera de ellas es la ya referida convicción de que la presencia de Dios o del Espíritu Santo santifica los espacios y las personas. Los creyentes pentecostales se saben llenos de la presencia de Dios, o al menos "tocados" por ella, así que su vida se ha transformado en una vida santificada, consagrada para mantenerse en relación con lo divino. La persona creyente, habitada por esa presencia divina, es ahora también sagrada, ha sido transformada en espacio sacralizado, apartado del "mundo" en su esencia, aunque no en su materialidad.[108] En esa lógica, también los espacios donde se celebra el culto son espacios sacros, pues ahí se manifiesta la presencia de Dios, de acuerdo a la interpretación que hacen del texto bíblico: "Donde están dos o tres reunidos en mi nombre, allí estoy yo en medio de ellos" (Mateo 18, 20). Por ello, aunque los protestantes y los pentecostales no creen que haya espacios que *per se* sean sagrados, sí creen que la presencia divina y, en menor grado, la presencia de la comunidad creyente santificada, pueden otorgar cualidad sacra al lugar donde se realiza el servicio religioso. La cualidad de santidad la conciben como un poder que puede irradiarse, que al ser tan abundante se desborda y tiende a extenderse.

En segundo lugar, una convicción central, y que particularmente considero de las más valiosas, es la percepción pentecostal del cuerpo humano como habitáculo de la divinidad. El espacio más sagrado es la misma persona humana, "morada del Espíritu Santo", canal de bendición para otras personas, receptora de la redención y destinada a una "vida abundante" (Juan 10, 10) en su existencia terrena y en la prometida existencia celestial. Esta convicción es una tremenda fuerza generadora de autoestima y la base para reestructurar la personalidad de los creyentes pentecostales, que de haber sido pobres, excluidos sociales, frecuentemente enfermos, alcohólicos, "don nadie" o "doña nadie", ahora se conciben como hijas e hijos de Dios, o del Rey, como expresan con frecuencia en sus cantos y acciones de gracias. Por eso el culto

[108] Dos textos bíblicos importantes en el ideario pentecostal son los siguientes: 1 Corintios 6, 19-20: "¿O no saben que su cuerpo es templo del Espíritu Santo, que está en ustedes y han recibido de Dios, y que no se pertenecen? ¡Han sido bien comprados! Glorifiquen, por tanto, a Dios en su cuerpo"; Efesios 2, 19-22: "Así pues, ya no son extraños ni forasteros, sino conciudadanos de los santos y familiares de Dios, edificados sobre el cimiento de los apóstoles y profetas, siendo la piedra angular Cristo mismo, en quien toda edificación bien trabada se eleva hasta formar un templo santo en el Señor, en quien también ustedes con ellos están siendo edificados, para ser morada de Dios en el Espíritu."

pentecostal no es la congregación de los excluidos sociales, sino la asamblea de las elegidas y los elegidos de Dios. Una reunión de gente tan magnífica no requiere un lugar físico magnífico para celebrar su fe y agradecer su experiencia de salvación (en lo cual no dejo de percibir cierto sentido paradójico). Todas las personas reunidas son sacerdotisas y sacerdotes de Dios, quienes no requieren mediaciones humanas ni materiales para acceder a la divinidad, sino más bien ellas pueden desempeñar ese papel mediador para otras personas. El pentecostalismo concretiza así en su experiencia cúltica y en su vida cotidiana un aspecto de lo que la teología de la Reforma, en su vertiente luterana, postuló como "el sacerdocio universal de todos los creyentes".

En tercer lugar, debe mencionarse la herencia teológica de la Reforma protestante en la actitud pentecostal respecto a los templos. La teología protestante se ha manifestado siempre ambigua respecto a los lugares de culto.[109] Los principales reformadores tenían aprecio por el espacio de culto como lugar de reunión de la comunidad para escuchar la predicación de la Palabra y recibir los sacramentos. Coincidían en atribuirle a estos espacios un valor pragmático superior a su valor religioso. Martín Lutero, por ejemplo, escribió en una colección de sermones del año 1526: "No hay otro motivo para construir iglesias sino para que los cristianos se reúnan, oren, escuchen la predicación y puedan recibir los sacramentos". Varios años más tarde, Lutero se mantenía en sus convicciones, como se desprende de la siguiente afirmación: "En las iglesias no acontece nada aparte de que nuestro amado Señor mismo habla con nosotros por medio de su santa palabra y, a su vez, nosotros hablamos con él por medio de la oración y el canto de alabanza".[110] Lutero limitó el valor del templo al concebirlo sólo como el espacio necesario para el culto religioso y no le concedió un valor sacro en sí mismo. Juan Calvino fue aún más radical y rechazó la mediación de las imágenes y cualquier otro factor sensitivo como mediación de lo sagrado. En los primeros años de la Reforma se continuó la costumbre medieval de usar los templos cristianos también para actividades profanas como la enseñanza secular, el almacenamiento de víveres, las asambleas ciudadanas o la realización de transacciones comerciales. Desde el punto de vista social, las iglesias eran la única posibilidad para reuniones comunales, las cuales no sólo eran de carácter religioso, sino

[109] P. Beier, Über die Schwierigkeiten der Protestanten, mit Räumen umzugehen, en: R. Bürgel, editor, *Raum und Ritual. Kirchbau und Gottesdienst in theologischer und ästhetischer Sicht*. Göttingen: Vandenhoeck und Ruprecht, 1995, págs. 39-45.

[110] M. Luther, *Wider die himmlischen Propheten, von den Bildern und Sakramenten (1525), WA XVIII*. Berlin: Luther-Studien Reihe, 1926, p. 162.

principalmente social.[111] En tiempos difíciles, como durante las guerras, ellas eran un refugio seguro para la población.

Reformadores del ala radical, como Tomás Müntzer, negaron al espacio de culto cualquier valor sacro independiente de la comunidad celebrante y los sacramentos. La espiritualidad anabaptista valoró más la vivencia individual de la fe que la intermediación de la razón en su práctica religiosa. Reconoció la eficacia de los rituales litúrgicos y de la celebración de los sacramentos en relación estrecha con la comunidad, pero como independientes al lugar mismo de la celebración. Desplazó, pues, el valor religioso y espiritual del exterior del espacio material al espacio interior de cada individuo.[112] Esta herencia teológica y litúrgica está presente aún con mucha fuerza en el pentecostalismo.

A partir de este sustrato socio-teológico básico me parce posible entender otros aspectos de la arquitectura pentecostal, pues en general se derivan de forma directa o indirecta de estas tradiciones protestantes. Las determinantes socio-culturales de las comunidades pentecostales (proveniencia de los estratos sociales más bajos; un pasado religioso católico al que pretenden negar; una experiencia negativa de la ciudad y sus lógicas organizativas; etc.) y sus herencias religiosas (provenientes de la Reforma, aunque mediadas por los iglesias evangélicas; del catolicismo popular; en ocasiones de las religiones regionales no cristianas, como las indígenas o afrobrasileños; etc.), se dan cita para conformar el universo religioso pentecostal. La arquitectura pentecostal, en su aparente sencillez, es el resultado de una religiosidad también aparentemente sencilla, pero que en realidad es el complejo resultado de diversas influencias y diferentes procesos de transformación.[113]

Más que descubrir la presencia divina en un espacio y construir un templo para señalizar esa presencia (Mircea Eliade), el pentecostal construye sus templos de acuerdo a criterios pragmáticos, como lugares necesarios para reunirse a celebrar el culto y otras actividades comunitarias, protegidos de la lluvia o el sol. No construye templos en obediencia a una revelación, por el descubrimiento de una hierofanía, sino respondiendo a una necesidad comunitaria. La única hierofanía que acepta es la de la presencia del Espíritu Santo en cada creyente o en

[111] W. Grünberg, Was ist eine Kirche – Wahrzeichen, Versammlungsraum, Gotteshaus?, en: W. Grünberg, editor, *Räume riskieren. Reflexion, Gestaltung und Theorie in evangelischer Perspektive*. Schenefeld: EB-Verlag, 2003, págs. 158-179, págs. 169-170.

[112] P. Beier, Über die Schwierigkeiten der Protestanten, mit Räumen umzugehen.

[113] D. Chiquete, *Silencio elocuente*, págs. 178-181.

medio de la comunidad celebrante.[114]

El templo entre los pentecostales desempeña importantes funciones sociales. No debe olvidarse que la mayoría de los creyentes pentecostales habita en espacios reducidos y periféricos. La reunión en el templo es también la posibilidad de salir de la periferia espacial y existencial para ingresar a un espacio construido y social más amplio y significativo.[115] Ir al templo es también enlazarse a una red de relaciones amplias donde el estatus personal se modifica casi de manera automática, donde se valorará a la persona de acuerdo a su ejemplo de vida cristiana y el ejercicio de sus dones carismáticos. Ir al templo por ello tiene implicaciones religiosas y sociales, las cuales casi siempre van de la mano.

Como los espacios construidos y las actividades en ellos desplegadas tienen una incidencia directa en las conductas humanas, los pentecostales tienen que aprender a conducirse ante estas nuevas relaciones generadas al interior del templo. Ahí se habla de otro modo, se siente diferente, los estatus sociales son trastocados, las valoraciones afectadas. Ahora hay que actuar de acuerdo a nuevas normas, lo cual significa iniciar un proceso pedagógico que incide en la autovaloración religiosa y en el reconocimiento social. La visita al templo y lo que ahí acontece afecta entonces no sólo la conducta individual, sino también las reglas sociales, de las cuales algunas se refuerzan mientras otras pierden su vigencia (los hombres lloran; los tristes ríen; personas de poca relación se tocan; marginados sociales se ponen en el centro de la atención; etc.).

En el imaginario pentecostal, el espacio de culto o templo es transformado en su esencia al convertírsele en lugar de encuentro con la divinidad. Adquiere una sacralizad temporal, la que es determinada por la función religiosa que cumple. Al mismo tiempo, los individuos que se convierten en comunidad celebrante también experimentan una transformación profunda: los campesinos, obreros, amas de casa, estudiantes, etc., son ahora parte del cuerpo de Cristo, son morada del Espíritu Santo, son un "espacio de santidad" aún más importantes que el templo material mismo. La transformación del espacio material y la

---

[114] D. Chiquete, *Silencio elocuente*, págs. 198-201.

[115] Anota P. Beier, Über die Schwierigkeiten der Protestanten, mit Räumen umzugehen, p. 42: "Poco se ha tratado la importante función social de las construcciones eclesiásticas, que consiste en que también las iglesias deben ofrecer oportunidad para fiesta, celebración y encuentro, ya que la mayoría de los miembros de nuestras comunidades están muy limitados en sus espacios de vivienda, por lo cual la invitación a la iglesia también es un llamamiento a salir de la prisión de las cuatro paredes para ir a un espacio mayor.

transformación del espacio humano acontecen de manera mutua, se afectan positivamente, se transforman de manera simbiótica. La arquitectura pentecostal y la comunidad pentecostal son así milagros sociales y milagros religiosos, juntos experimentan una "metamorfosis sagrada".

5. Conclusiones

Evidentemente un tema como el aquí esbozado no puede ser "concluido" pues apenas se inicia su investigación. Por ello esta "conclusión" sólo pretende recoger un par de observaciones ya expuestas y generar inquietudes de investigación para seguir profundizando el tema.

El estudio de la composición y las dinámicas sociales del pentecostalismo son indispensables para comprender mejor la arquitectura que producen así como su comprensión y vivencia de la ciudad y sus espacios urbanos. En nuestras ciudades latinoamericanas, tan marcadas por los símbolos religiosos católicos como las catedrales y otras iglesias, generalmente de estilos barroco o neoclásico, los símbolos del poder político, del poder militar y del poder económico, los pentecostales responden con una simbolización procedente de los márgenes, de los "sin poder" desde las categorías dominantes, que funciona más como negación de lo existente que como elaboración de otros símbolos de poder que puedan concurrir con los existentes.[116] Los símbolos pentecostales son de orden religioso, simbólico y arcano. Se elaboran por la negación de los existentes al tratarlos con indiferencia, ignorarlos o negarlos. Así pretenden robarles existencia y eficacia.

En lo urbano, los templos pentecostales surgen en diferentes espacios, generalmente en los márgenes, y luego van avanzando hacia zonas más céntricas de la ciudad a medida que las comunidades también van accediendo a otras posibilidades económicas y sociales. También debe tenerse presente que en sociedades donde el pentecostalismo ya se ha convertido en un referente social, en una verdadera concurrencia religiosa, su arquitectura se ha vuelto visualmente más presente en el

[116] A. Paulsen, Los espacios de redención en la ciudad contemporánea: "[Los pentecostales] estructuran un espacio social de acuerdo a una concepción de la actividad humana totalmente diferente a la dominante en dicha ciudad, que les permite resistir los embates de un medio social que les es hostil y les asegura a la vez, la supervivencia mediante relaciones sociales que no se fundamentan en la centralidad de la producción, sino en la solidaridad y en una idea de comunidad que escapa a los cánones de una sociedad dominada por la tradición Católica y un Estado en Forma."

orden urbano. Un ejemplo de ello es la "Catedral Evangélica" en Santiago de Chile, iglesia mayor de la Iglesia Metodista Pentecostal, o los diferentes lugares de reunión de la neopentecostal Iglesia Universal del Reino de Dios[117], en Brasil. Pero estos son casos especiales, pues el pentecostalismo sigue siendo una religiosidad popular y su arquitectura una arquitectura popular, que surge principalmente en las zonas urbanas periféricas de las ciudades latinoamericanas.

La pentecostal es una arquitectura pragmática, que busca dar respuestas constructivas a una liturgia centrada en la emotividad y la experimentación carismática, pero que no tiene confianza en la dimensión óptica de la liturgia. En la liturgia pentecostal oír y sentir son más relevantes que ver y meditar. Sus espacios no son mediadores de la experiencia religiosa sino sólo contenedores de ella, marcos espaciales de referencia. Además, son espacios temporales, destinados a la caducidad, para el tiempo que la comunidad creyente tiene todavía que vivir en "este mundo". Son espacios que tienen que ser flexibles, adaptables a circunstancias variables dentro de las comunidades, como el crecimiento de la membresía, generalmente acelerado, o la necesidad de nuevos salones para la escuela dominical, oficina pastoral u otros. Son espacios sociales, de encuentro y convivencia, por ello deben ser apropiados para que sus visitantes "se sientan en casa", cómodos, no extraños en ellos.

El creyente pentecostal viene generalmente de la tradición católica y su experiencia "pecaminosa" previa a su conversión la liga a esta religiosidad. Por ello para reforzar su presente "de bendición" niega su pasado y el mayor referente de ese pasado: el catolicismo y sus símbolos, siendo los más visibles los templos y la simbólica que contienen. Eso explica en parte que los pentecostales en su arquitectura intenten ser lo menos católicos posible, con una arquitectura vaciada de símbolos, ni siquiera la cruz o el uso de veladoras es tolerable. Es una negación por contraste, por el silenciamiento, pero por un silencio muy elocuente.[118]

También en lo urbano es perceptible esta actitud pentecostal, pues también en la ciudad el poder visual y simbólico del catolicismo es muy fuerte. Por ello el pentecostalismo extiende su simbólica de negación a

---

[117] Dos excelentes estudios sobre esta organización religiosa son: L. S. Campos, *Teatro, templo e mercado. Organização e marketing de un empreendimento neopentecostal.* Petrópolis; São Paulo; São Bernardo do Campo: Vozes; UMESP, 1999, 2a. Edición; J.C. Schmidt, *Wohlstand, Gesundheit und Glück im Reich Gottes. Eine Studie zur Deutung der brasilianischen neupfingstlerischen Kirche Igreja Universal do Reino de Deus.* Berlin: LIT, 2006.

[118] D. Chiquete, *Silencio elocuente.*

esta dimensión. Los templos pentecostales surgen en zonas discretas, periféricas, camuflados con el resto de las construcciones de la población pobre, poco visibles. Esta homogenización con el entorno urbano puede ser entendida como una renuncia al ejercicio del poder visual sobre la ciudad, contrastando con la práctica católica en América Latina. ¿Seguirá vigente esta práctica en veinte o treinta años cuando el pentecostalismo sea la religión mayoritaria del continente?

Bibliografía:

Abumanssur, Edin Sued, *Moradas de Deus. Representação arquitetônica do espaço sagrado entre protestantes e pentecostais.* São Paulo: Pontificia Universidade Católica de São Paulo, tesis doctoral inédita, 2001.

Alvarado López, Gilberto, *El poder desde el espíritu. La visión política del pentecostalismo en el México contemporáneo.* Buenos Aires: Libros de la Araucaria, 2006.

Anaya Duarte, Juan, *El templo en la teología y la arquitectura.* México: Universidad Iberoamericana, 1996.

Ansorge, Dirk, Überlegungen zum Verhältnis von Architektur, Philosophie und Theologie, en: D. Ansorge, Ch. Ingenhoven y J. Overdiek, editores, *Raumerfahrungen. Raum und Transzendenz. Beiträge zum Gespräch zwischen Theologie, Philosophie und Architektur*, Bd. 7, Münster: LIT, 1999, págs. 141-152.

Augé, Marc, *Los «no lugares». Espacios del anonimato. Una antropología de la sobremodernidad.* Barcelona: Gedisa Editorial, 2000, 5a. edición.

Barrios, Angélica, ¿Ser comunista o pentecostal? Respuestas sociales en el contexto de modernización en las periferias urbanas de Santiago a finales de los 50. Trabajo inédito. Universidad de Chile. Facultad de Filosofía y Humanidades, Departamento de Ciencias Históricas, 2007.

Bartleman, Frank, *Azusa Street. El avivamiento que cambió el mundo.* Buenos Aires: Peniel, 2006, 2a. edición.

Beier, Peter, Über die Schwierigkeiten der Protestanten, mit Räumen umzugehen, en: R. Bürgel, editor, *Raum und Ritual. Kirchbau und Gottesdienst in theologischer und ästhetischer Sicht*. Göttingen: Vandenhoeck und Ruprecht, 1995, págs. 39-45.

Campos, Leonildo Silveiro, *Teatro, templo e mercado. Organização e marketing de un empreendimento neopentecostal.* Petrópolis; São Paulo; São Bernardo do Campo: Vozes; UMESP, 1999, 2a. edición.

Chiquete, Daniel, *Silencio elocuente. Una interpretación teológica de la arquitectura pentecostal.* San José, Costa Rica: UBL; CETELA, 2006.

Chiquete, Daniel, *Haciendo camino al andar. Siete ensayos de teología pentecostal.* San José, Costa Rica: Centro Cristiano Casa de Vida, 2007.

Dayton, Donald W., *Theological Roots of Pentecostalism.* Metuchen, N.J.; London: The Scarecrow Press, 1987.

Eliade, Mircea, *Das Heilige und das Profane. Vom Wesen des Religiösen.*

Frankfurt: Insel Verlag, 1984.
Grünberg, Wolfgang, Was ist eine Kirche – Wahrzeichen, Versammlungsraum, Gotteshaus?, en: W. Grünberg, editor, *Räume riskieren. Reflexion, Gestaltung und Theorie in evangelischer Perspektive*. Schenefeld: EB-Verlag, 2003, págs. 158-179.
Grünberg, Wolfgang, *Die Sprache der Stadt. Skizzen zur Großstadtkirchen.* Leipzig: Evangelische Verlagsanstalt, 2004.
Hoover, Willis C., *Historia del avivamiento pentecostal en Chile.* Concepción, Chile: CEEP Ediciones, 2008, 6a. edición.
Lalive d'Epinay, Christian, *El refugio de las masas. Estudio sociológico del pentecostalismo chileno.* Santiago de Chile: Ediciones del Pacífico, 1968.
Löw, Martina, *Raumsoziologie.* Frankfurt: Suhrkamp, 2001.
Luther, Martin, *Wider die himmlischen Propheten, von den Bildern und Sakramenten (1525), WA XVIII.* Berlin: Luther-Studien Reihe, 1926.
Orellana, Luis, *El fuego y la nieve. Historia del movimiento pentecostal en Chile: 1909-1932. Tomo 1.* Concepción, Chile: CEEP Ediciones, 2006.
Paulsen, Abraham, Los espacios de redención en la ciudad contemporánea. Aproximaciones al avivamiento pentecostal de 1909 en Valparaíso, Chile. *Scripta Nova.* Revista Electrónica de Geografía y Ciencias Sociales. Universidad de Barcelona. Vol. IX, No. 194 (100), 2005.
Pfeifer, Günter, Raum und Psychologie. Anmerkungen aus der Sicht eines
Architekten, en: D. Ansorge, Ch. Ingenhoven y J. Overdiek , editores,
Raumerfahrungen. Raum und Transzendenz. Beiträge zum Gespräch zwischen Theologie, Philosophie und Architektur, Bd. 1. Münster: LIT, 1999, págs. 11-35.
Richter, Klemens, Heilige Räume. Eine Kritik aus theologischer Perspektive, en: D. Ansorge, Ch. Ingenhoven y J. Overdiek, editores, *Raumerfahrungen. Raum und Transzendenz. Beiträge zum Gespräch zwischen Theologie, Philosophie und Architektur, Bd. 1.* Münster: LIT, 1999, págs. 82-100.
Rosendahl, Zeny, *Espaço e religião. Uma abordagem geográfica.* Rio de Janeiro: UERJ; NEPEC, 1996.
Schmidt, João Carlos, *Wohlstand, Gesundheit und Glück im Reich Gottes. Eine Studie zur Deutung der brasilianischen neupfingstlerischen Kirche Igreja Universal do Reino de Deus.* Berlin: LIT, 2007.
Synan, Vinson. 2005. *El siglo del Espíritu Santo. Cien años de renuevo pentecostal y carismático.* Buenos Aires: Peniel, 2005.

Weber, Max, *La ética protestante y el espíritu del capitalismo.* Barcelona: Península, 1969.

Estudio 3

Teo-odisea cantada. Vida e imaginario del creyente pentecostal a través de sus cánticos

Angélica Barrios

1. Introducción

La mayoría de los cánticos tradicionales que se entonan en el culto pentecostal chileno, denominados "coritos", son composiciones anónimas de miembros de las comunidades mismas. En ellos residen múltiples figuras y representaciones del imaginario pentecostal que dan cuenta de las aspiraciones que guían a la comunidad profesante, otorgándole una forma particular de desenvolverse y expresarse dentro de su sistema cultural.

Es recurrente ver en las calles del país grupos de evangélicos pentecostales que ordenados en columna hacen sonar sus guitarras, banjos y panderos al son de una melódica popular que invita al "pecador" a ser salvado del mundo y su maldad. O transitar por la inmediación de un templo pentecostal y escuchar los cánticos fervorosos que llenan la totalidad del espacio de los congregados.

La intención de este trabajo se enfoca a comprender la función de los "coritos" dentro del culto pentecostal chileno y analizar los elementos imaginativos que subyacen en su contenido textual, como también explorar el significado de esos componentes en la experiencia religiosa de los creyentes.

Los "coritos" son uno de los elementos que conforman la liturgia pentecostal y, a la vez, son signos de una comunidad profesante que expresa sus experiencias vitales y la relación con la divinidad a través de un discurso que reordena e interpreta las vivencias y elementos de la memoria, otorgando sentido e identidad al grupo religioso.

Nos permitimos en este trabajo hacer una lectura de los textos himnológicos desde la Historia Cultural, en tanto comprendemos los "coritos" como fuentes de recursos imaginarios y de representaciones que refieren a un conjunto de prácticas sociales y culturales[119]. También los entendemos como mediaciones sígnicas por medio de las que individuos aprehenden y organizan significativamente la realidad social.

El culto es el espacio que se convierte en escenario litúrgico y en expresión de la identidad de la comunidad[120]. Como parte esencial de la liturgia pentecostal, los cantos son signos que se entrelazan a otros códigos de lenguaje y representaciones que hacen referencia al sistema cultural de la comunidad en particular. Como afirma Daniel Chiquete:

> Las formas litúrgicas surgen en contextos espaciales, sociales y eclesiásticos específicos. Por ello reflejan valores culturales de la sociedad, así como motivos y actitudes relacionados con el universo simbólico propio de la comunidad religiosa.[121]

En la comprensión de los cantos litúrgicos como signos que remiten y fortalecen la identidad de la comunidad, es posible interpretar el entramado cultural y conocer aquellos elementos que ofrecen estructuralidad y continuidad a la realidad religiosa pentecostal chilena.

Para la elaboración de este trabajo se analizaron 258 cánticos de la libreta de coros e himnos del Cuerpo de Ciclistas de la Iglesia Evangélica Pentecostal, editada en el año 1995[122]. Quizás la data reciente de la fuente puede suscitar más de alguna interrogante respecto a la antigüedad de los cánticos. Sin embargo, para claridad de la lectora o el lector, esta libreta de coros es una especie de memorial de cánticos que fueron incorporándose paulatinamente en el tiempo. Sí, carecemos de información sobre la autoría y el año de origen de cada uno de los cánticos, puesto que obtener esos datos requeriría de una acuciosa investigación histórica. Pero en términos generales, sabemos que ellos representan parte de la himnología pentecostal compuesta textual y musicalmente por la feligresía en una dimensión temporal que va desde los orígenes del movimiento religioso, en 1909, hasta el presente. La especificidad de la institución religiosa no restringe la versión de ellos,

---

[119] Nos asimos de la definición de cultura que ofrece Juri Lotman y la escuela de Tartú en su obra *La semiótica de la cultura*. Madrid: Editorial Cátedra, 1979, p. 22: "La cultura no es un sistema global, sino aquel entramado de signos que refieren a otros signos, de manera que puede ser entendida a través de su propio lenguaje natural, dado que es éste el que tiene la función de otorgar estructuralidad, dar nombre y organizar la realidad de la cultura".

[120] Ver: Chiquete, Daniel, *Silencio elocuente. Una interpretación teológica de la arquitectura pentecostal*. Costa Rica: UBL; CETELA, 2006.

[121] Chiquete, *Silencio elocuente*, p. 51.

[122] Cuerpo de Ciclistas La Cisterna, *Libreta de Coros e Himnos*. Santiago: Titania, 2a. edición ampliada, 1995.

dado que el mundo pentecostal chileno posee un tronco similar de desarrollo hasta la década de 1960, reconociendo así que estos cánticos son parte de la himnología popular del pentecostalismo chileno clásico.

2. El tejido religioso del pentecostalismo: liturgia, comunidad y signos

2.1 El pentecostalismo

El pentecostalismo, también conocido como "la tercera reforma protestante" [123], es una variante del protestantismo que se gesta a principio del siglo XX en diversas zonas del mundo, específicamente en regiones del tercer mundo.

Algunos de los principales rasgos que diferenciaron al nuevo fenómeno religioso de otras ramas profesantes del protestantismo fueron la renovación de las prácticas cúlticas que reavivaron la glosolalia (hablar en lenguas desconocidas), los movimientos corporales, las experiencias extáticas y la emotividad en la liturgia. No obstante, Donald Dayton cree que no sólo la devoción experimentó transformaciones, sino también aspectos del dogma, que dieron origen a la denominada "teología cuadrangular", que confirma la creencia en un Cristo que "salva, sana, bautiza en el Espíritu Santo y viene pronto otra vez".[124]

Entre 1905 y 1909 proliferaron cultos avivamentistas en varias partes del mundo que dieron origen a las primeras comunidades pentecostales. En Chile, durante el año 1909, los centros urbanos de Valparaíso, Santiago y Concepción fueron epicentros del origen del fenómeno religioso, el cual, habiéndose gestado como una fracción disidente del metodismo episcopal, y marginal a todas las ofertas religiosas del periodo, logró a partir de la década de 1930 iniciar una escala de crecimiento acelerado entre la población nacional. Esto vino a dar señales de institucionalización, arraigo y fortalecimiento en la cultura local, específicamente popular.

En el pentecostalismo podemos encontrar dos claves básicas que nos permiten comprender su conducta social: el fuerte arraigo que desarrolla en la cultura local en la que se desenvuelve y, en consecuencia, una

---

[123] I. Vergara, *El protestantismo en Chile.* Chile: Editorial del Pacífico, 1962, p. 109.

[124] Ver: D. Dayton, *Raíces teológicas del pentecostalismo.* Buenos Aires: Grand Rapids; Nueva Creación, 1991.

constante mutabilidad de acuerdo a las transformaciones que experimenta cada comunidad. Estas características lo convierten en un fenómeno historizante y expuesto a un cambio permanente en el tiempo.

2.2 La liturgia pentecostal

La descripción hecha por un prefecto de Carabineros sobre un culto pentecostal el año 1929 es informativa:

> Llena la sala de público, el pastor sube a la tribuna o pupitre y comienza la prédica sagrada, comentando generalmente algún pasaje de la Biblia, entonando a continuación cantos alusivos que son coreados por la concurrencia, demorándose en este acto, más o menos media hora (...). Mientras dura esta meditación, el pastor y sus ayudantes permanecen extasiados.[125]

El pentecostalismo posee la cualidad de ser una religiosidad sensible al contexto[126] en que se despliega. Su liturgia y formalidad se alimentan de los atributos culturales de sus miembros, adquiriendo elementos autóctonos que lo hacen peculiar en cada lugar y época en que se desarrolla. Sin embargo, no sólo la comunidad de creyentes aporta rasgos característicos a la liturgia, sino de manera recíproca, "el culto influye notoriamente en la manera de ser de los participantes, envolviendo todas sus experiencias de vida y no solamente las religiosas".[127]

Entenderemos por liturgia el ambiente y contexto en que la comunidad intenta comunicarse con la divinidad a través de elementos devocionales, cantos, discursos y actitudes. Daniel Chiquete dice al respecto:

> Los rituales litúrgicos tienen entre sus funciones escenificar la salvación cristiana, revivir acontecimientos pasados, míticos e históricos, que son los que sustentan el presente de la comunidad, reinterpretándolos y resignificándolos, y así ayudando a la

[125] Ventura Maturana Barahona (Prefecto, Jefe de Investigaciones de Carabineros de Chile) en Informe sobre personalidad jurídica de la "Asociación de Apoderados de las Iglesias Metodistas Pentecostales en Chile" a la Prefectura General de Carabineros. Santiago, 12 de julio de 1929, No. 1244, págs. 3-4. Referencia tomada de: L. Orellana, *El fuego y la nieve. Historia del movimiento pentecostal en Chile (1909-1932)*. Concepción: CEEP ediciones, 2008, p. 122.

[126] Ver: D. Chiquete, El espacio litúrgico en el pentecostalismo mexicano: Acercamiento teológico a la arquitectura pentecostal, en: D. Chiquete y L. Orellana, editores, *Voces del pentecostalismo latinoamericano. Identidad, teología e historia*. Chile: RELEP; CETELA; ASETT, 2003, págs. 197-223.

[127] C. Castillo, Liturgia pentecostal: Características y desafíos del culto pentecostal chileno, en: D. Chiquete y L. Orellana, editores, *Voces del pentecostalismo latinoamericano. Identidad, teología e historia*. Chile: RELEP; CETELA; ASETT, 2002, págs. 175-196, p. 177.

comunidad de apropiarse de su sentido.[128]

El pentecostalismo chileno en su origen vino a incorporar nuevos aspectos a la liturgia antes desconocidos en los rígidos cultos del metodismo decimonónico. Así, la emotividad se sobrepuso a la racionalidad; la oralidad al discurso letrado; la espontaneidad a la formalización del tiempo y el espacio. La nueva religiosidad posibilitó la participación de la comunidad de creyentes en la expresión de la fe sin intermediación de un sacerdocio impuesto y letrado[129]. En ese contexto nacen conductas que se institucionalizan y perduran en el tiempo, tales como "las tres glorias a Dios"[130], la predicación en la calle, la oración, los cánticos, los testimonios y las señales del bautismo del Espíritu Santo.

Willis Hoover, pastor de la congregación metodista de Valparaíso, el año 1909, informa:

> Asistieron como cien personas. Una de nuestras niñas del coro buscando la santificación, cayó al suelo, y quedó tendida por varias horas, fuera de sí, a ratos orando, cantando, riendo, llorando. De repente se levantó con pelo desgreñado y tono ferviente, dio un mensaje que conmovió a toda la congregación, la que parecía emborracharse, riéndose, llorando, gritando, poniéndose de pie, una escena indescriptible.[131]

La dinámica litúrgica del pentecostalismo autóctono chileno durante el siglo XX estuvo regulada por los aspectos mencionados. La celebración litúrgica, conocida por los fieles pentecostales como *reunión*, es coordinada por un predicador que encabeza la lectura bíblica y los principales momentos del rito. Ciertamente, debe compartir el tiempo religioso con la participación de la comunidad que se manifiesta en la espontaneidad de un cántico, en la oración individual o colectiva, y la proclama de un mensaje profético o testimonio de vida de un creyente, en una esfera de emotividad y fervor sobresaliente que hacen del momento religioso un acto festivo.

2.3 La comunidad pentecostal

---

[128] D. Chiquete, *Silencio elocuente*, p. 54.

[129] Ver: J. Sepúlveda, La teología pentecostal en el contexto de la lucha por la vida. Caso chileno. Trabajo inédito como aporte al libro de Dow Kirkpatrick.

[130] Esta es una práctica comúnmente utilizada en los cultos pentecostales tradicionales en Chile, donde el predicador o encargado de la ceremonia religiosa invita a la congregación a tal conducta, induciéndola a levantar los brazos y repetir unánimemente: "gloria a Dios, gloria a Dios, gloria a Dios".

[131] W. Hoover, *Historia del avivamiento pentecostal en Chile*, págs. 33-34.

Apropiándonos de una razón histórico-social para comprender la conformación de la comunidad pentecostal chilena, podemos escarbar en el pasado del metodismo, asentado en Chile a fines del siglo XIX.

La Sociedad Metodista en Chile fue fundada por el misionero norteamericano William Taylor, quien tuvo el propósito de establecer misiones de autosustento independientes de la Junta Misionera de Estados Unidos. Con el fin de desarrollar un sentido de compromiso financiero en los miembros nativos conversos e impedir así la imposición de modelos culturales foráneos que obstaculizaran el desarrollo de iglesias locales bajo sus propios patrones de costumbres. La iniciativa redundó en que la Iglesia Metodista fuera la primera misión protestante en preocuparse por evangelizar a la población nacional. En 1895 el pastor argentino José Torregrosa organizó la primera comunidad metodista en Valparaíso, la que desde sus primeros momentos tuvo la característica de atraer a miembros de los sectores más populosos de la sociedad chilena.[132]

En 1909, en los días en que se desatan los acontecimientos que dieron origen al movimiento pentecostal, la congregación metodista de Valparaíso veía crecer sus filas con individuos provenientes de los estratos más bajos de la sociedad. Informa el pastor Hoover:

> Se están convirtiendo hombres conocidos como terribles en lo más craso. Cinco hay ya conocidos como ladrones; uno de estos dicen que ha sido capitán, un bárbaro, y ahora es considerado una joya; no deja ir al altar y ha ofrecido al Pastor traer hombres del mismo pelo.[133]

Para el teólogo chileno Juan Sepúlveda el cisma que dio origen al pentecostalismo se explica como un conflicto en torno a las prácticas religiosas y el modo de vivir y celebrar la fe. Se considera que el grupo disidente estaba conformado mayoritariamente de gente humilde con escasa educación formal y teológica[134].

---

[132] Son reiterados los apellidos nacionales que se observan entre la membresía de Valparaíso a principio del siglo XX. La revista oficial del metodismo en Chile, *El Cristiano*, del 10 de diciembre de 1901, registra: "Durante los meses de septiembre y octubre fueron recibidos a prueba en la iglesia los hermanos Lorenzo González, Bartolomé Soto, Roberto Figueroa, José Sanchez, Gabriel Faúndez, Ignacio López, y las hermanas Doralisa Briones y Eleuterio Vergara de Bustos".

[133] W. Hoover, *Historia del avivamiento pentecostal en Chile*, p. 37.

[134] En el grupo de disidentes pentecostales también existió una pequeña élite intelectual representante de la clase media, que contribuyó con la redacción de dos periódicos y múltiples artículos que fueron determinantes en la fase primigenia del movimiento pentecostal chileno. Ver: C. Guerra, *La música*

La comunidad pentecostal fue el espacio que posibilitó la acción de una religiosidad libre y espontánea según sus propios mecanismos culturales y sociales de entender la realidad[135], pero que desde un comienzo se asumió excluida de las esferas de los poderes social, religioso, político y económico, quedando marginada aún del propio protestantismo y aún más del catolicismo parroquial, que vio en él una competencia religiosa entre los pobres.[136]

De este modo se va configurando lo que Juan Sepúlveda ha denominado como "la teología en el contexto de la lucha por la vida"[137]. La visión maniqueísta del mundo está dada por la experimentación de carencias sociales donde la subsistencia se convierte en una verdadera odisea cotidiana. Se gesta la noción de un mundo que nada bueno tiene por ofrecer, sino dolor y males para el individuo, en confrontación con la idea de un más allá donde se sacian las expectativas materiales de la gente. El siguiente testimonio de un creyente pentecostal manifiesta los elementos mencionados:

> Un día salí de mi casa y a mi regreso yo sabía que nada había para que comieran mis hijos y por el camino vino Satanás y me dijo: te aguardan para pedirte de comer y ¿qué le vas a dar? De veras me puse triste por este plan, pero sentí también una voz que penetró a lo más profundo de mi corazón, y fue aquella voz del Maestro cuando dijo en el desierto a Felipe ¿De dónde compraremos pan para que coman estos? (Juan 6: 5-6). Con estas palabras de mi Señor quedé tan lleno de confianza que me parecía que nada me faltaba y al llegar a mi casa, ya el Señor había dado cumplimiento a su palabra.[138]

A partir de la década de 1930 el pentecostalismo deja de ser una expresión religiosa indistinguible para la sociedad y se suma al

---

pentecostal en el movimiento pentecostal en Chile (1909-1936): El aporte de Willis Collins Hoover y Genaro Ríos Campos. Chile: Consejo Nacional de la Cultura y las Artes; SENDAS Corporación, 2009.

[135] Hoover declaraba respecto a los días del avivamiento pentecostal: "Hemos tenido que 'comer pastel de los humildes' cada uno de nosotros. No hay afectación. El pastor no es más que el miembro más humilde. Completa humildad, completa sumisión, completa obediencia (…)". En: W. Hoover, *Historia del avivamiento pentecostal en Chile*, p. 36.

[136] En los recuerdos del pastor pentecostal Samuel Grandón se aprecia la visión que poseía la dirigencia religiosa del país hacia los pentecostales: "Entonces el cura que hacía clases de religión empezó una labor muy hostil con los evangélicos. Un día llegó a un curso e hizo pararse a dos niñas evangélicas y les dijo que ser evangélica era peor que ser prostituta (…). No se engañen ustedes, las prostitutas también saben parecer con rasgos buenos, pero en el fondo son mujeres corrompidas". En: E. Valencia y otros, *En tierra extraña I. Itinerario del pueblo pentecostal chileno*. Santiago: Amerinda; Sepade, 1988, p. 61.

[137] Ver: J. Sepúlveda, La teología pentecostal en el contexto de la lucha por la vida.

[138] *Chile Pentecostal*, No. 58, noviembre 15 de 1914, en: L. Orellana, *El fuego y la nieve*, p. 53.

crecimiento vertiginoso que poseen durante el periodo las ciudades y la importancia de los sectores populares en la vida del país. Ciertamente, de igual forma engrosaron sus congregaciones con miembros provenientes de los estratos bajos de la sociedad. Muchos pertenecían al campesinado y otros provenían de las poblaciones periféricas que proliferaban en los márgenes de las grandes ciudades.

No podemos asumir que la comunidad pentecostal y sus formas sociales, culturales y religiosas de desenvolverse sean inmutables en el tiempo. Hemos reconocido el carácter historizante del fenómeno otorgándole volubilidad según los contextos a los cuales el país y su sociedad se vean expuestos. Así lo ha reconocido también Sepúlveda al intentar distinguir los factores históricos que le han dado cuerpo a la asistemática teología pentecostal.

2.4 Los "coritos"

En todo ritual, ya sea secular o religioso, la música cumple un rol fundamental en la construcción de un ambiente emocional y sensorial, creando una disposición que induce a la colectividad al fin u objeto por el cual se desarrolla el rito. La función del canto es doble cuando a la música se incorpora el texto y el discurso.

La forma musical conocida como "coritos" o "estribillos" no posee una data específica respecto a los días de su origen. Estudiosos de la musicología eclesial del protestantismo[139] creen que su gestación estaría vinculada al contexto del Movimiento de Santidad[140] en Estados Unidos a fines del siglo XIX. Cánticos que, en su carácter de espiritualidad y fervor, se presentaban como un medio eficaz para la evangelización. Fue el pastor norteamericano Charles Alexander (1867-1920) quien se encargaría de popularizar el uso de estos cánticos en las campañas evangelísticas desarrolladas al aire libre, estableciendo así un nuevo formato himnológico dentro del protestantismo que consistía en un tipo de cántico breve de cuatro versos con un par de frases que solían repetirse facilitando su rápida memorización. El contenido del texto provenía inicialmente de antiguos himnos *gospel songs* y de estribillos de himnos tradicionales.

---

[139] Ver: C. Guerra, *La música pentecostal en el movimiento pentecostal en Chile (1909-1936).*

[140] El movimiento de Santidad se comprendió como un despertar de las iglesias protestantes de Estados Unidos durante el siglo XIX, lo que dio origen a nuevas reflexiones teológicas sobre la santificación y a una renovación de la espiritualidad cristiana que incidió preponderantemente en la gestación del movimiento pentecostal. Ver: D. Dayton, *Raíces teológicas del pentecostalismo.*

Con el tiempo su forma musical y textual se vio sometida a cambios, dependiendo de los contextos religiosos temporales y culturales en los que se desarrollaban. Sin embargo, sobre todo al principio, no faltaron las voces críticas dentro de las iglesias protestantes que vieron en el uso masivo de los "coritos" o "estribillos" y en el escaso contenido doctrinal y bíblico de su letra un peligro para la educación religiosa de los fieles. Así se generó el riesgo de que los himnos fueran totalmente desplazados de la liturgia sustituyéndose por un tipo de cántico que, según ellos, carecía de armonía textual y musical y que promovía, además, la emocionalidad antes que "la alabanza consciente a Dios"[141].

Recordemos que el pentecostalismo nace en diversos contextos del mundo en el inicio del siglo XX, y la esencia emotiva y fervorosa de los coritos es rápidamente adoptada por él, llegando a constituirse en un elemento más de su formato litúrgico. En el caso de Chile, el musicólogo chileno Cristian Guerra ha evaluado la importancia de la música en el proceso de conformación del pentecostalismo nacional y su eventual desarrollo histórico. Ha mostrado la tarea que ejerció el Rev. Willis Hoover en la traducción de himnos y su consecuente elaboración de un himnario pentecostal. Así también ha registrado el origen de ciertos cánticos que nacieron en el ambiente carismático pentecostal de 1909 y que son reconocidos por Guerra del siguiente modo:

> Estos "coros del avivamiento", cánticos breves o "coritos" son pieza de extensión reducida, en el idioma vernáculo, generados frecuentemente en medio de manifestaciones y vivencias carismáticas.[142]

Es evidente que junto al proceso avivamentista de 1909, como manifiesto punto de partida histórico del movimiento pentecostal chileno, se gesta una nueva alternativa religiosa en el país y con ello se abre un abanico de expresiones que, inconsciente y subversivamente, renuevan, en relación al catolicismo y al protestantismo de la época, el formato litúrgico y la manera de relacionarse con lo sagrado. Los "coritos" son el reflejo también de aquellos elementos rituales que, provenientes de una tradición religiosa mayor, se empaparon y connotaron los aspectos esenciales del momento, como también de la feligresía que los adoptó. Estos nacen para la comunidad pentecostal como "coros espirituales",

---

[141] M. Maldonado, Salmos, himnos, cánticos espirituales, en: http://www.shce. blogspot.com.

[142] C. Guerra, *La música pentecostal en el movimiento pentecostal en Chile (1909-1936)*, p. 22.

compuestos como viejas letras adaptadas, en ocasiones reveladas por el Espíritu, o inspiradas en la propia experiencia humana y religiosa.

El movimiento pentecostal chileno puede ser interpretado como una apropiación de la religiosidad por parte de los sectores populares, connotándola y resignificándola de acuerdo a los elementos de su fe, historia y cultura. Ejemplo de ello es el caso de los hermanos Ríos (1933), quienes habiendo sido payasos y cantantes populares antes de su conversión en la Iglesia Metodista Pentecostal de Santiago (Jotabeche), incorporaron a la liturgia pentecostal el uso de la guitarra y el ritmo popular criollo del país, formando el primer coro instrumental de la iglesia pentecostal. De ahí en adelante el uso de instrumentos musicales, junto a un ritmo particular, se ha convertido en una cualidad identitaria del movimiento pentecostal en Chile.

En la dinámica del culto pentecostal es posible encontrar dos tipos de cantos: los himnos y los *coritos*. El primero de ellos proviene de la tradición protestante europea y norteamericana trasplantada por los misioneros a fines del siglo XIX. Cumplen con la formalización del culto determinando un orden coherente con la estructura común del rito. Son propuestos por el predicador a la congregación, manifestando una orientación jerárquica de los roles al interior de la membresía. A diferencia, los "coritos" son propiedad de la comunidad. Su denominación revela el grado de apropiación que posee la congregación sobre el objeto cuando ocupa un diminutivo con el fin de darle un tratamiento más sensible al concepto. Su origen musical y textual es parte de una creación anónima en que se plasman las aspiraciones religiosas del autor como miembro de una comunidad pentecostal y de una sociedad mayor. El contenido textual de los cánticos se alimenta de la experiencia real del desamparo que han debido vivir los sectores populares durante el siglo XX. He ahí el carácter significativo de los coritos en la liturgia, los que son creados propuestos y cantados por la comunidad religiosa con la emotividad que merece la canción de sus vidas, repasando un mensaje de dolor y sufrimiento que se aminora frente a la obra redentora de Dios.

Los coritos son una obra de arte desde el momento que se conciben como una producción humana que traspasa la elaboración genética de actos y de objetos predecibles. Comprendidos como un producto humano, son también un "aparato semiótico que puede ser analizado como conjunto de reglas e inventos de efectos prefijados y modificaciones conscientes de los códigos socializados. Es fruto de la producción social de mecanismos de comunicación".[143]

Los cantos son signos que pertenecen a una red de lenguaje dotados de una base sensorial que va relacionada al placer estético, en consecuencia, a la satisfacción de una necesidad sensorial. De acuerdo a la definición de Jaime Moreno:

> La obra de arte es el punto de encuentro entre la intuición del artista y la actividad del usuario. Digo "actividad" para insistir en que éste no es un simple contemplador pasivo o discípulo obediente. Si es punto de encuentro, la obra de arte es también un punto de partida desde donde también el usuario construye su propio mundo estético, su propia "intensificación de la realidad".[144]

Trasladando esta interpretación del arte a nuestro objeto, los coritos son un importante lenguaje sígnico y sensorial que establece redes de comunicación entre el autor y los usuarios, en este caso la congregación, desde el cual se reconstruye y resignifica permanentemente la realidad exacerbando ciertos elementos discursivos por sobre otros.

Conscientes de la importancia del canto religioso pentecostal como un mecanismo de comunicación que contribuye a la mantención de representaciones y sentidos al interior de un grupo humano unido por lazos simbólicos, se presenta a continuación una lectura de sus textos con el propósito de profundizar nuestra mirada hasta llegar a comprender qué elementos de la realidad de los individuos se esconde tras su poesía.

3. Análisis del texto de los cantos

3.1 El creyente frente a la divinidad

En el imaginario religioso pentecostal la relación entre Dios y el ser humano está mediada por el acto de "salvación" operado por Cristo en la cruz, según la doctrina cristiana. Se interpreta la muerte del "hijo de Dios" como entrega voluntaria motivada por el amor. Sin embargo, la salvación no es definitiva, puesto que requiere del esfuerzo individual del o la creyente y del permanente auxilio de Dios para llegar "al final de la carrera".

---

[143] U. Eco, prólogo a J. Lotman. Universe of Mind, p. 8, en: J. Moreno, Documento de trabajo sobre la noción de arte. Diplomado en Ciencias de la Religión. Universidad de Chile. 2008.

[144] J. Moreno, Documento de trabajo sobre la noción de arte, p. 4.

El creyente no puede pagar la obra de salvación con los valores convencionales del mundo ("oro y plata"), sino sólo con una actitud humilde y compungida de gratitud. El amor de Dios es entendido como inmenso y gratuito, como "gracia", cuya única respuesta es el reconocimiento y el agradecimiento de parte del creyente. El llanto implica tanto la alegría como la expresión del dolor que acompaña con frecuencia a los creyentes pentecostales. Pero en su fe encuentran una posibilidad de externarla y así iniciar un proceso terapéutico.

Una idea expresada con frecuencia es que la presencia de Dios permanece en los elementos del cosmos: el cielo, las estrellas, las flores, las montañas. Son recursos imagenológicos del campo o de la vida del campesinado, contraponiéndose a las negativas imágenes de la ciudad, donde el pentecostal, como sujeto social, ha vivido el hacinamiento y la miseria. La religiosidad pentecostal genera puentes de sentido entre la realidad simbólica y la material.

La presencia de Dios se presenta amplia y objetiva, comparativamente semejante a ciertos elementos imponentes de la naturaleza: la inmensidad del océano, la altura de las montañas y la profundidad de los cielos. Mientras que el ser humano es percibido como un ser pequeño que puede de igual forma mantener un vínculo de aprecio de parte de la divinidad. De ahí el énfasis en la misericordia divina y la redención, que más allá de una comprensión teológica racional, remite a una condición antropológica y social.

Con qué pagaremos el inmenso amor
Que diste tu vida, por vil pecador
Señor Jesucristo conforta mi alma
Para que yo pueda vencer en la lucha
Y servirle mejor.

Coro:
No tengo que darte por amarme tanto
Recibe este canto mezclado
Con llanto de mi corazón.

Y cuando la noche extienda su manto
Mis ojos en llanto fijaré yo en ti
Alzando mis ojos veré las estrellas
Yo sé que tras ellas va el Padre amoroso que vela por mi.

No puedo pagarte con oro ni plata
El gran sacrificio que hiciste por mi
En cambio recibe la ofrenda humillada
La ofrenda humillada Señor Jesucristo de mi corazón.
(No. 18)

3.2 El creyente y su paso por la vida

La experiencia de la vida para el o la creyente pentecostal es la de un pasaje transitorio, tal cual extranjero en tierra extraña que no se siente partícipe de su quehacer ni de sus valores. Por lo tanto, no hay voluntad de mejorar la condición de maldad y dolor en el mundo. Sólo permanece a la espera de la vida con Cristo en el más allá.

Aquí reside una de las figuras más potentes del imaginario pentecostal en referencia a su construcción cosmogónica de la realidad. El sentido de pasaje, lucha y deserción versus victoria del creyente en la vida, procura proyectar un cuadro simbólico equivalente a la tragedia homérica de Ulises y su dramática travesía por el mar, su gran odisea. Las fuerzas del bien y del mal se debaten por arrebatar la pequeña embarcación que lucha por llegar a su idílico destino. El "mundo" asedia con sus fuerzas malignas aportando sólo dolor y desaciertos. En esa situación, la imagen benevolente de Cristo es paz y refugio para el creyente.

¿Qué aspectos de la realidad social de los individuos contribuyen a modelar un paisaje tan desalentador y estimular el deseo por la vida en el más allá? Son las vicisitudes de una vida de precariedades que padecen las clases más desposeídas en la lucha por la supervivencia, que se complementan con la autopercepción de marginalidad frente a los círculos de poder. La tristeza y el dolor no son valores abstractos sino realidades sociales cotidianas. A esto se suman los encantos y placeres sensuales (sexo, vino, baile, etc.), rechazados por la moral pentecostal, causa de una constante tensión en la vida del creyente. La llegada de Cristo por segunda vez a la tierra deberá poner fin a este conflicto permanente.

La imagen de una embarcación que navega hacia un destino seguro, acechada por la tempestad durante su travesía, o la de un caminante que cansado y con los pies sangrantes atraviesa el desierto, se consagra en el imaginario del creyente pentecostal como el peligro de caer en la tentación y a doblegarse ante los problemas que lo inducen a abandonar la fe.

Reiterativa es la comparación de la vida con la flor o hierba del campo, representando la finitud y la apariencia efímera del proceso vital. Es también un transcurso difícil, de sufrimientos para el hombre y la mujer. Por esta razón, aunque haya muestras de riqueza y felicidad, el o la creyente no deben aferrarse a la vida, sino que deben comprender que todo lo que en ella se desarrolle será aparente y destinado a un fin.

> Como viajero y peregrino en este mundo
> Voy caminando en tierra extraña de dolor
> /Alzo mis ojos cual David en alta cumbre
> Veo a Jesús que me acompaña con amor./
>
> Coro:
> Dios es mi amparo y fortaleza en el combate
> Venga Satán en horas crueles con destreza
> /Miro al Calvario y veo allí la cruz sangrienta
> Cristo venció y yo peleo con firmeza./
> (No. 20)
>
> Como la hierba del campo
> Que florece a la mañana
> Más cuando llega la tarde
> Su belleza se marchita
> Y todo desaparece.
>
> Nuestras vidas son muy cortas
> Que pasan como un sueño
> Nuestra vida es una historia
> Muy llena de sin sabores
> De tristezas y dolores.
> (No. 30)

3.3 La autopercepción del creyente antes de la conversión

La reformulación del pasado sobre el momento previo a la conversión está cargada de elementos negativos que refuerzan la idea redencionista de Cristo en la vida del individuo. Además, existe una fuerte connotación emocional de desaciertos y penurias que revelan la condición en que la persona se integra a la comunidad pentecostal.

La metáfora de vagar por un camino incierto es permanente, lo que grafica el grado de desorientación y escasa claridad que ve el individuo en su vida previa a la conversión. Hay un reconocimiento de error e impiedad, así como un profundo sentido de soledad, dolor y miserias, dando indicios de una conciencia moral y valórica anterior a la conversión.

Las condiciones sociales de marginalidad sirven para comprender cómo la falta de posibilidades de inserción y un rol en la sociedad han incidido negativamente en los individuos que se han integrado al pentecostalismo. Esta realidad queda expuesta en las metáforas que ejemplifican la desorientación, el destino de perdición y falsa felicidad.

> Yo vagué por los caminos de este
> mundo donde placeres y vicios conocí,
> Pero sitio para mí no vi ninguno
> Donde mi alma encontró felicidad.
>
> Mi alma estaba llena de ayes y tristeza
> Llena estaba de miserias y dolor
> Con ternura Cristo me tendió la mano
> Y me guió por el sendero del amor.
>
> Tuvo que ser tu gracia mi Señor
> Era un gusano que arrastraba mi dolor
> Qué viste en mi Señor, qué viste en mi
> Si nada tengo y nada soy, qué viste en mi.
> (No. 137)

3.4 La experiencia de la conversión

La conversión posee un carácter determinante en la vida del creyente, separando el tiempo en un antes y un después biográfico. Se constituye en una experiencia individual y única que se experimenta como un suceso repentino y radical en la vida de la persona.

Nuevamente la analogía de un barco en medio de un tomentoso mar se dispone a conjugar varios aspectos que hacen referencia al individuo como un desvalido que vaticina por sobrevivir en medio del *piélago de maldad* donde no posee elementos de donde sostenerse. La conversión cristiana se grafica como el oportuno rescate de un barco que ofrece vida y seguridad.

La conversión se interpreta como la respuesta a todas las carencias y como lo antagónico a las sensaciones negativas previas a la conversión. Reaparece la dualidad en función del tiempo vital determinado por el punto trascendental de la salvación divina, el cual se expresa del siguiente modo:

- Desorientación vs. un destino eterno
- Amargura vs. felicidad
- Dolor vs. paz
- Soledad vs. amor
- Tiniebla vs. luz
- Vergüenza vs. reconocimiento
- Viejo/a hombre-mujer vs. nuevo/a hombre-mujer.

La transformación como consecuencia de la conversión no está dada en el plano único de la conciencia, sino también en los aspectos morales y valóricos de la persona. Ahí radica el carácter terapéutico de la comunidad pentecostal, donde el individuo tiene la posibilidad de rehacer su conducta social, reorganizar los elementos de la memoria resignificando su vida y reinsertándose en la sociedad con un nuevo estatus personal y social.

> Tú me encontraste Señor a mí no te buscaba
> Y me diste consuelo cuando más lo necesité
> Sentí la paz del cielo que mi alma deseaba
> Sentí que la llenaba con tu santo poder.
> (No. 65)
>
> Me preguntan por qué que mi vida cambió
> así tan de repente noto un gran resplandor
> de fulgente paz ahora soy diferente, hoy he vuelto a nacer
> mi pasado enterré a Cristo he conocido.
> (No. 159)

3.5 "Cristo viene"[145]

[145] La exclamación "Cristo viene", casi un emblema de proclamación evangelística del pentecostalismo chileno, se origina y radicaliza durante el nacimiento del movimiento religioso en el avivamiento pentecostal de 1909. Es una visión escatológica antes no manifiesta en las filas del metodismo en Chile,

El retorno de Cristo a la tierra para llevarse a sus fieles a las moradas eternas se presenta en el imaginario pentecostal como la etapa culminante del proceso de "salvación" que se inició con la conversión del creyente. La segunda venida de Cristo se constituye en el umbral de la historia celestial, un tiempo final para el mundo y el inicio de la vida eterna, un traslado de la ciudad terrenal a una ciudad celestial, que en el imaginario bíblico se le conoce como la Nueva Jerusalén.

La convicción de estar viviendo en el fin de los tiempos está dada para la comunidad pentecostal en una sobreexposición de los acontecimientos nefastos de la situación social presente: "hambre, peste, guerra y temor. Calamidades, los divorcios y el error nos dicen que Jesucristo vendrá."[146]

El cuadro imaginativo que representa "la segunda venida de Cristo" ilustra simbólicamente la condición de marginalidad que han vivido los sujetos pentecostales en la sociedad. El Cristo que murió humillado en la cruz vuelve en poder y majestad para llevarse a los suyos a la vida eterna, frente a los ojos y asombro de la humanidad pecadora. Aquellos que sufrieron por la causa del evangelio "podrán gozar de los laureles siempre allí".[147] El orden de la realidad se invierte y los marginados se constituyen en príncipes, en tanto que los poderosos del mundo quedarán aquí avergonzados y condenados.

Podemos ver en la simiente del movimiento pentecostal chileno una conciencia pre-milenarista y pesimista de la realidad presente que ha determinado para la comunidad religiosa una conducta militante que se manifiesta en una lucha diaria por alcanzar la vida celestial y abandonar por fin este "mundo de maldad". Visión que ha desentrañado una posición escatológica representada en la historia del cristianismo por asociaciones religiosas de gentes pobres y explotadas por los sistemas sociales y políticos de sus épocas, partiendo por las primeras organizaciones cristianas[148], quienes no dudaron en ser auténticos

---

donde la conversión de la sociedad abandonaba el carácter inmanente y progresista por un sentido negativo y escapista de la realidad social.

[146] Cuerpo de Ciclistas de la Cisterna, *Libreta de coros e himnos*. Coro 93.

[147] Cuerpo de Ciclistas de la Cisterna, *Libreta de coros e himnos*. Coro 46.

[148] Es asombrosa la relación existente entre el discurso pre-milenarista de las primeras comunidades cristianas del siglo I y las que ha desarrollado el pentecostalismo durante el siglo XX. En referencia al sentir de los primeros cristianos, Eduardo Hoornaert cita el texto de un documento de los inicios de la era cristiana denominado Carta a Diogneto: "Los cristianos (...) habitan en sus propias patrias, pero

ciudadanos de un reino de justicia donde no dominara el oprobio ni el dolor.

> Yo sólo espero ese día cuando Cristo volverá
> Yo sólo espero ese día cuando Cristo volverá
> Afán y todo trabajo para mi terminará
> /Cuando Cristo venga a su reino me llevará./
>
> Ya no me importa que el mundo
> Me desprecie por doquier
> Yo ya no soy de este mundo
> Soy del reino celestial.
>
> Entonces allí triunfante victorioso ascenderé
> Cuando a Cristo en las nubes cara a cara le veré
> Allí no habrá más afanes ni tristeza para mi
> /Con los redimidos al Cordero alabaré./
> (No. 73)

3.6 La vida en los cielos

La vida en el más allá es la tierra prometida para el creyente triunfador. Merecedor del patrimonio y las riquezas de Dios se viste de ropajes finos con piedras preciosas, habita una mansión en tierras hermosas y carga la corona como signo de su victoria. Ahí no hay noches, angustias y preocupaciones como las que experimenta en la vida terrena. Potencial imagenológico que nace del pasaje bíblico del libro de Apocalipsis 21 de la ciudad celestial la Nueva Jerusalén y que ha servido como recurso ideológico para conformar la escatología cristiana pentecostal.

La fuerza de las imágenes expresa el antagonismo que se experimenta tras la decepción y escasez que vive el pentecostal en su realidad cotidiana. El poder, la posesión y el ejercicio de una función en la sociedad no están para el pentecostal en esta vida, sino en la eternidad. Lo que no se tiene en esta tierra, pero que se desea, es trasportado al cielo como esperanza. Lo que la sociedad les niega se espera recibirlo de

---

como extranjeros; participan de todo como ciudadanos, pero lo soportan todo como extranjeros; cualquier tierra extraña es para ellos su patria y cualquier patria es una tierra extraña." Ver: E. Hoornaert, *La memoria del pueblo cristiano. Una historia de la iglesia en los tres primeros siglos*. Argentina: Ediciones Paulinas, 1985, p. 90.

Cristo: bello ropaje contra los harapos cotidianos; tierra preciosa contra las periferias urbanas inmundas; bella mansión de luz contra las pocilgas de los conventillos y el hacinamiento en las poblaciones.

Blanco vestido bañado de luz
Ricas diademas de gran resplandor
Bella mansión de sublime quietud
Donde la noche jamás existió
Esa ciudad admirable de Dios
En que estaremos reunidos con Él
Todo lo que ha preparado Jesús es para mí.

Coro:
Bello ropaje, hermoso hogar
Tierra preciosa, dulce cantar
Bella corona de estrellas mil
Bella mansión de luz, do viviré.

Oh que preciosa es la meditación
De vivir siempre en la eternidad
Libre de angustias y preocupación
Libres de afanes y cruel ansiedad
Tendremos parte en el júbilo aquel
En que mil voces alaban a Dios padre
permite que no falte yo es mi oración.
(No. 25)

3.7 La figura de Cristo

A pesar de que el principal rasgo del pentecostalismo mundial estuvo definido por el énfasis en la acción del Espíritu Santo, encontramos que no es la figura más mencionada en el discurso de los cánticos, sino la representación tierna de Jesucristo.

También es posible observar otra paradójica realidad, al comprobar que a pesar de que el pentecostalismo se ha definido radicalmente iconoclasta y ha criticado con énfasis al catolicismo por el uso de imágenes materiales representativas de la crucifixión. De igual modo, el movimiento religioso pentecostal ensalza en sus cánticos el ícono del Cristo sufriente en la cruz. La crucifixión enfatiza el dolor y el padecimiento, lo que establece lazos entre la realidad simbólica y la material del caminar de Jesús con el difícil peregrinaje del cristiano en la vida.

Se refuerza la imagen de un Cristo que debió sufrir pobrezas, humillaciones y dolores, despojándose del poder y las riquezas divinas por amor a la humanidad. Estas son elocuentes representaciones que develan una protesta simbólica contra las figuras poderosas de la realidad social y religiosa que conocen los creyentes desde su condición de subalternidad. ¿Cómo no sentirse identificado con una divinidad que desecha el poder, el reconocimiento y la opulencia por sufrir como el pobre sólo por amor a él?

El imaginario pentecostal plantea la figura de un Cristo "tierno", "Salvador", "amigo" y "amoroso", sustituyendo las cualidades intercesoras y maternales que la comunidad católica le otorga a la virgen María. Si bien es cierto que la tradición protestante quiso desligar la concepción divina de María como madre de Dios, de igual modo no pudo arrancar la necesidad de amparo que desarrollan los individuos ante un ser protector y comprensivo, lo cual vino a revitalizar la imagen de Jesús con el fervor y depósito religioso mariano del catolicismo. El teólogo e historiador Maximiliano Salinas se refiere a la concepción de Cristo y María que se gesta durante la colonia en los estamentos sociales más oprimidos:

> Desde el eje teológico básico de Jesús y María el cristianismo de los pobres pudo iluminar tanto el sufrimiento de la opresión, presente en la Pasión y Muerte de Cristo, como su anhelada esperanza, a través de la figura consoladora de la Madre de Dios (símbolo femenino del amparo ante el autoritarismo y represión de la teología blanca oficial).[149]

El potencial simbólico que reside en la figura de Cristo también se expresa en el sentido de la vida y la resurrección para el individuo. Jesucristo invierte el ciclo natural de vida-muerte, equivalente al sentido de resurrección valórica que experimenta el pentecostal tras la conversión, quien concibe el tiempo pasado como un proceso de muerte

[149] M. Salinas, *Historia del pueblo de Dios en Chile. La evolución del cristianismo desde la perspectiva de los pobres*. Santiago: Ediciones REHUE, 1987, p. 87.

que se revierte gracias a la obra redentora de Dios para otorgar vida y *vida en abundancia.*[150]

> Hubo uno que quiso por mi padecer
> Y morir por mi alma salvar,
> El camino más cruel a la cruz recorrer
> Para así mis pecados lavar.
> (No. 78)
>
> Nace en un pesebre, pobreza sin par
> En Galilea a orillas del mar
> Vive humilde y muere por dar vida
> Al pecador.
>
> A los cansados descanso dará
> A los hambrientos pan le suplirá
> A los tentados inspira valor,
> bondadoso Jesús.
>
> Divino compañero del camino...
> Contigo la distancia se hace corta
> No habrá sed, ni el sol fatigará
> Si en el mar las olas amenazan
> Majestuoso sobre ella andarás.
> (No. 61)

3.8 El Espíritu Santo

Como ya se ha mencionado, a pesar del carácter recuperativo que posee el pentecostalismo sobre la figura de la tercera persona de la Trinidad en la vida de los creyentes y de la iglesia, no es el elemento más recurrente en el texto de los cánticos. En las pocas enunciaciones que se hacen del Espíritu Santo se le vincula con la experiencia de poder y consolación, que se valida para la comunidad en la herencia cristiana del pentecostés apostólico, y se hace práctico en las situaciones más cotidianas del individuo para enfrentar las adversidades en su "peregrinar por la vida". Renato Poblete y Carmen Galilea creen que el poder del Espíritu Santo para la comunidad pentecostal viene a sustituir el poder de

---

[150] Es posible interpretar que la concepción de la vida alcanza una proyección de trascendencia y virtud a través de la obra redentora de Cristo, en contraste con la vida natural de los seres humanos que se halla connotada de un carácter negativo, efímero y falaz.

los santos católicos: "La intervención de los santos está ahora contenida en una perspectiva más inmediata."[151]

La figura del Espíritu Santo se halla representada en todos aquellos elementos perceptibles sensorialmente por el ser humano, haciendo efectiva su capacidad para revelarse a los creyentes a través de la sensación que emana del fuego, el agua, la lluvia, la brisa, etc. Para la comunidad es este contacto subjetivo con el Espíritu la esencia del fervor y el compromiso religioso con el que se sienten ligados, y ello incentiva a los feligreses a la búsqueda de un grado mayor de consagración personal, a la evangelización y la adquisición de más dones carismáticos, como las danzas, profecías, sanidades por oración, glosolalia, etc. Es el estímulo que hace de la liturgia pentecostal un ritual dinámico, espontáneo y altamente terapéutico desde la situación de opresión a la cual están sometidos los sectores populares[152].

Todas esas experiencias religiosas se atribuyen a la acción del Espíritu Santo y se asumen como capacitación o "empoderamiento" para su lucha por la supervivencia, y para la comunidad en su batalla contra el "mundo", lo que incluye todas las luchas cotidianas por salir adelante ante las dificultades que la vida plantea.

> Oh, Santo Espíritu de Dios
> Unge mi corazón
> Tu luz divina brille en mí
> Con todo su esplendor.
>
> Coro:
> Lléname, lléname
> Santo Espíritu de Dios
> Mueve mi ser con tu poder
> Oh Santo Espíritu lléname.
>
> Oh, Santo Espíritu de Dios
> Toma mi voluntad
> Hazme saber el gran poder
> De Cristo con claridad.

---

[151] R. Poblete y C. Galilea, *Movimiento pentecostal e iglesias católicas en medios populares*. Chile: Centro Bellarmino, 1984, p. 122.

[152] Ver: C. Castillo, Liturgia pentecostal.

Oh, Santo Espíritu de Dios
Dame tu gran poder
Enciende el fuego de tu amor
Muy dentro de mi ser.
(No. 258)

3.9 La evangelización

La evangelización, como predicación al aire libre[153], se presenta en el imaginario del pentecostal como la única y gran misión que posee la iglesia en el mundo. La idoneidad del creyente debe ser total en el cumplimiento de la gran labor, concibiéndola como la acción más importante, dada que las consecuencias de la evangelización trascienden en la temporalidad vital y cosmológica.

El valor y significancia del hecho está dado porque el mensaje evangélico es dimensionado como el único medio de regeneración que puede ofrecer la comunidad religiosa a la sociedad. Esto puede concebirse como un acto socio-político, en cuanto existe una ideología que promueve la mejora de los males que aquejan a la población, específicamente al individuo, a través de la conversión y la sanidad.

Las referencias que hacen los cánticos pentecostales sobre la evangelización siempre aluden a la "nación" como un espacio real que padece de males que pueden ser subsanados por la eficacia del evangelio. La nación no es igual al "mundo", a pesar que los dos contienen a la sociedad "pecadora" (no creyente), sus padecimientos son distintos: la nación sufre de guerras y pestes, en cambio el "mundo" de maldad, pecado, envidias y felicidad ficticia, puesto que es la tierra de Satanás. Hacia la nación hay un sentido de compromiso y de aprecio, en contraste con el rechazo y temor que proyecta la representación del "mundo" para el y la creyente pentecostal.

---

[153] El estilo de evangelización "al aire libre" practicado en el pentecostalismo chileno parece ser una práctica aislada antes del origen mismo del movimiento religioso. Pero fue en los días del avivamiento pentecostal del año 1909 que, según el testimonio de Willis Hoover, se habría perpetuado esta práctica desde que un joven, después de haber experimentado el proceso de conversión, salió del templo gritando "Dios es amor" y se introdujo en una cantina proclamando la misma frase. Así lo hizo en cada uno de los lugares del sector para testimoniar su experiencia religiosa. Es así como desde los primeros días del movimiento religioso la "predicación al aire libre o a la calle" fue una de las acciones identitarias del movimiento pentecostal chileno, entendiéndose en el imaginario religioso como la principal misión de la comunidad en el mundo. Ver: W. Hoover, *Historia del avivamiento pentecostal*, p. 54.

La posibilidad de hacer realidad el lema "Chile para Cristo", o sea un país completamente converso, no se escapaba de los objetivos del pentecostalismo. Así son reiterativas las expresiones características de su origen histórico que se entrelazan con los cánticos de evangelización: "Chile para Cristo", "Cristo viene", "avivamiento". Esto revela una continuidad de elementos y aspiraciones que actúan como guía y soporte de la religiosidad en el tiempo.

Glorificate en <u>Chile</u> Señor oh Rey de Gloria
Por tu santo Evangelio bendice a mi <u>nación</u>
<u>Y líbrame</u> de <u>peste</u> Señor y de la <u>guerra</u>
Y que toda mi patria goce tu bendición.

Coro:
Señor levanta <u>obreros fervientes</u> en tu iglesia
Hermanos consagrados de todo corazón
Que corran por las calles llevando el gran mensaje
Porque ya <u>Cristo viene</u> a buscar lo que él ganó.

Esfuérzate buen siervo y <u>gana la corona</u>
Trabaja y no desmayes, contigo es el Señor
No mires a los hombres porque maldito eres
Conviértete a Cristo y tendrás perdón.
(No. 17)

3.10 Coritos de sanidad

Los cánticos hacen alusiones a las sanidades operadas por Jesús en los evangelios, acción que se proyecta, según la creencia pentecostal, en la contemporaneidad. Se cree que Jesús puede seguir curando ya sea en forma directa o por mediación del Espíritu Santo o por la oración de las congregaciones. La creencia en las sanidades por medio de oraciones también viene a ser uno de los pilares de la fe pentecostal y parte integrante de la liturgia al interior de estas comunidades.

Para que se efectúe la acción divina de otorgamiento de la "virtud" se invita al creyente a una entrega de conciencia y de fe para ser sanado ("Y si le tocas tú, sanas también", dice uno de los cantos analizados). El creer es una relación de equilibrio entre el Dios que sana y el enfermo que cree; es una transacción de valores entre el individuo y la divinidad.

Los cánticos también dedican parte de sus letras a las sanidades y curaciones, y para ello se apoyan en experiencias y relatos bíblicos, por ejemplo: la mujer que tocó el manto y los leprosos que fueron sanados por Jesús. Se asemejan situaciones entre la época del relato bíblico y la actualidad como un modo de justificar que los posibles milagros del pasado pueden ocurrir en el presente, donde la sanidad y la conversión siempre van de la mano para restituir la vida del individuo, tanto en el plano físico como en el simbólico. Daniel Chiquete afirma que la hermenéutica pentecostal se aproxima a la Biblia y al tema específico de la salud y salvación desde un contexto y vivencias similares a las de los autores y comunidades que produjeron las narraciones bíblicas: situación de pobreza, falta de trabajo y pan, explotación, desintegración familiar, violencia estatal, etc. D. Chiquete afirma:

> La "opción para los pobres" de Dios encuentra su más clara expresión en la praxis terapéutica de Jesús de Nazaret. Esta opción se concretiza y corporiza con un Jesús que toca, sana y salva a los enfermos, devolviéndoles tanto la salud física, como reincorporándolos a la sociedad y a su posibilidad de vida litúrgica y familiar. También por medio de la sanidad los dignifica.[154]

Haz tú cual la mujer que fue y tocó
El borde del vestido del Señor
Virtud salió de Él y le sanó
Y si le tocas tú, sanas también.

Aquel pueblo inmenso y numeroso
Una parte creía en el Señor
Pero el resto enemigo y curiosos
Hoy en día los encuentras peor
Yo fui quien te tocó mi buen Jesús
Y mi mal ningún doctor pudo sanar
Tu fama llegó a mí y viene de ti
Y ya sanado estoy Señor, perdóname.
(No. 16)

Un hombre leproso se acerca
A Jesús meditando
Es tanta la pena que lleva

[154] D. Chiquete, Sanidad, salvación y misión, p. 129.

Por su enfermedad
He oído que sanas a muchos
Sin nada cobrarles
He oído que haces el bien
Donde quiera que vas
Por eso hoy te ruego que escuches
Mi humilde plegaria
Si quieres Señor límpiame.

Coro:
Quiero, quiero, quiero curar tus heridas
Quiero curar tus heridas calmar tu dolor
Quiero, quiero, quiero que tú tengas vidas
Quiero curar el pecado de la humanidad.
(No. 35)

Conclusión

Hemos compenetrado en el imaginario de las primeras generaciones pentecostales chilenas a través de la poesía de los cánticos, descubriendo en ellas una riqueza reveladora frente a los elementos gravitantes de la religiosidad y su comunidad. Este trabajo no es sino un primer esfuerzo operado sobre un recurso histórico y sígnico tan potente como lo son los cánticos, que permitirán seguir descubriendo vetas profundas y esenciales del pentecostalismo y, con ello, de los sectores populares del siglo XX.

Los "coritos" como obra de arte y consecuente "realidad intensificada" son también un lenguaje que externaliza las situación de los pobres y necesitados de la sociedad. A través del discurso religioso las personas pueden manifestar sus desaciertos y protestas contra un sistema de vida que les ha sido profundamente injusto y son capaces de recuperar un sentido y proyecto de vida que, pese a ser altamente escatológico, aporta para su mejora en el día presente a través de la dignificación humana.

A pesar que estos cánticos son una producción musical y poética de gente no especializada, poseen suma coherencia para articular una orgánica doctrinal consecuente con los elementos que constituyen la *teología cuadrangular* enunciada al comienzo de este trabajo; permanece la idea presente y reforzada de un Cristo que salva, sana, bautiza en el Espíritu Santo y viene a la tierra otra vez. También se manifiesta una percepción de la vida anclada a tres eventos kairológicos: vida de pecado, vida redimida y vida celestial. Todos aparecen como elementos propios del proyecto cristiano de redención divina, pero, que esta vez, se ha desarrollado en aquella gente que se dispone a vivir la experiencia religiosa hasta en los detalles más triviales de la vida cotidiana.

Los "coritos" aún conservan elementos que se presentaron en el origen del pentecostalismo a principios del siglo XX, e imágenes coloniales que han logrado perdurar en la memoria de la gente. Sin embargo, nada asegura que las mutaciones experimentadas por la sociedad moderna posibiliten la conservación de ellos como signos de una realidad social y cultural. Esto ya sucede cuando observamos en las congregaciones un componente social distinto al de antaño, donde la concepción del mundo se diluye frente a las atracciones de la vida moderna (educación, trabajo, familia, ascenso social) y el sufrimiento deja de ser una realidad que obliga al creyente a comprender la comunidad religiosa como el único espacio de auxilio. Hoy los coritos se ven amenazados a la extinción porque ha cambiado "la canción de la vida" del y la creyente pentecostal.

Se hace posible ver en nuestro presente cómo conviven en las congregaciones pentecostales realidades duales que generan una compleja tensión que obliga a reformular las bases y sustentos teológicos del pentecostalismo. En el caso particular de la música, los coritos y sus melodías comienzan a perder significancia al hallarse desplazados por modernos cantos que ensalzan el éxito y la victoria personal, ejemplificado en la desunión familiar, la depresión y la quiebra financiera. La melodía es importada y la fuerza de la espontaneidad es reemplazada por el profesionalismo musical que sustituye la participación de la congregación por modernos equipos de música y sonido de alta tecnología.

Es ahí donde debemos reflexionar frente a las interrogantes que nos ofrece el futuro: ¿Cuáles serán los signos de la religiosidad pentecostal en las próximas décadas? ¿A qué elementos de la sociedad será funcional el movimiento pentecostal: a la dignificación del ser humano frente a la obra redentora de Dios o a la satisfacción del poder y el consumo? Los coritos son un claro indicativo de esos cambios.

Bibliografía:

Castillo, Cecilia, Liturgia pentecostal: Características y desafíos del culto pentecostal chileno", en: D. Chiquete y L. Orellana, editores, *Voces del pentecostalismo latinoamericano. Identidad, teología e historia.* Chile: RELEP; CETELA; ASETT, 2003, págs. 175-196.

Chiquete, Daniel, El espacio litúrgico en el pentecostalismo mexicano: Acercamiento teológico a la arquitectura pentecostal, en: D. Chiquete y L. Orellana, editores, *Voces del pentecostalismo latinoamericano. Identidad, teología e historia.* Chile: RELEP; CETELA; ASETT, 2003, págs. 197-223.

Chiquete, Daniel, *Silencio elocuente: Una interpretación teológica de la arquitectura pentecostal.* Costa Rica: UBL; CETELA, 2006.

Chiquete, Daniel, Sanidad, salvación y misión: El ministerio de sanidad en
el pentecostalismo latinoamericano, en: D. Chiquete, *Haciendo camino al andar. Siete ensayos de teología pentecostal.* San José, Costa Rica: Centro Cristiano Casa de Vida, 2007.

Cuerpo de Ciclistas La Cisterna, *Libreta de Coros e Himnos.* Santiago: Impreso por Titania, edición ampliada, 1995, 2a. edición ampliada.

Dayton, Donald, *Raíces teológicas del pentecostalismo.* Buenos Aires: Grand Rapids; Nueva Creación, 1991.

Guerra, Cristián, *La música pentecostal en el movimiento pentecostal en Chile (1909-1936): El aporte de Willis Collins Hoover y Genaro Ríos Campos.* Chile: Consejo Nacional de la Cultura y las Artes; SENDAS Corporación, 2009.

Hoover, Willis, *Historia del avivamiento pentecostal en Chile.* Concepción: CEEP Ediciones, 2008, 6a. edición.

Hoornaert, Eduardo, *La memoria del pueblo cristiano. Una historia de la iglesia en los tres primeros siglos.* Argentina: Ediciones Paulinas, 1985.

Ibarra, Adonirám, *Entre la espontaneidad y el profesionalismo: Análisis del fenómeno litúrgico-musical contemporáneo en América Latina.* México: Ed. Buena Noticia, 2001.

Lotman, Jurij, *La semiótica de la cultura.* Madrid: Editorial Cátedra, 1979.

Maldonado, Marcos, Salmos, himnos, cánticos espirituales, en: http://www.shce.blogspot.com.

Moreno, Jaime, Documento de trabajo sobre la noción de arte. Diplomado
en Ciencias de la Religión. Universidad de Chile, 2008.

Poblete, Renato y Carmen Galilea, *Movimiento pentecostal e iglesias católicas en medios populares.* Chile: Centro Bellarmino, 1984.

Orellana, Luis, *El fuego y la nieve: Historia del avivamiento pentecostal chileno (1909-1932).* Concepción: CEEP ediciones, 2008, 2a. edición.

Salinas, Maximiliano, *Historia del pueblo de Dios en Chile. La evolución del cristianismo desde la perspectiva de los pobres.* Chile: Ediciones Rehue, 1987.

Sepúlveda, Juan, La teología pentecostal en el contexto de la lucha por la vida. Caso chileno. Trabajo inédito como aporte al libro de Dow Kirkpatrick.

Vergara, Ignacio, *El protestantismo en Chile.* Chile: Ediciones del Pacífico, 1962.

Estudio 4

Montanismo y pentecostalismo. Dos perturbadores y necesarios movimientos del Espíritu en la historia del cristianismo

Daniel Chiquete

1. Introducción

El pentecostalismo es el movimiento de mayor crecimiento numérico y poder transformador del cristianismo mundial desde hace un siglo. Por mucho tiempo se aceptó casi sin cuestionamiento su origen en la experiencia glosolálica de 1901 en la escuela bíblica Betel de Topeka, Kansas, dirigida por Charles Parham, y el inicio de su difusión mundial en 1906 con el explosivo avivamiento de la Misión de la Fe Apostólica de la Calle Azusa, en Los Ángeles, bajo la conducción de William Seymour.[155]

Desde hace varios años, sin embargo, se han ido multiplicando las voces que reconocen un origen más complejo al movimiento pentecostal, demostrando que paralelamente a los acontecimientos de los Estados Unidos se habían estado presentando manifestaciones carismáticas que pudieran calificarse como "pentecostales" en lugares tan distantes entre sí como India, Gales y Corea. Para el caso latinoamericano, hay algunos trabajos históricos que muestran que el surgimiento del pentecostalismo chileno, por mencionar uno de los casos más emblemáticos en nuestro continente, no tuvo dependencia directa de los acontecimientos de los Estados Unidos.[156]

---

[155] Buenas y útiles introducciones al tema me parecen las siguientes obras: A. Anderson, *An Introduction to Pentecostalism. Global Charismatic Christianity*. Cambridge: Cambridge University Press, 2004, págs. 19-62; F. Bartleman, *Azusa Street. El avivamiento que cambió el mundo*. Buenos Aires: Peniel, 2006, 2da. edición; W. Hollenweger, *El pentecostalismo. Historia y doctrinas*. Buenos Aires: La Aurora, 1976, págs. 7-70; R. Owens, El avivamiento de la calle Azusa: Comienzos del avivamiento pentecostal en los Estados Unidos, en: V. Synan, *El siglo del Espíritu Santo*. Buenos Aires: Peniel, 2005, págs. 53-86.

[156] J. Sepúlveda, *De peregrinos a ciudadanos. Breve historia del cristianismo evangélico en Chile*. Santiago: Fundación Konrad Adenauer, Comunidad Teológica de Chile, 1999, p. 91, sintetiza: "[...] la hipótesis de un origen multifocal ha ganado cada vez más aceptación. El pentecostalismo habría surgido a partir de movimientos de avivamiento y renovación que se desarrollaron más o menos al mismo tiempo en Europa, Asia, Africa y las Américas". También para el caso chileno, ver L. Orellana, *El fuego y la nieve. Historia del movimiento pentecostal en Chile: 1909-1932*. Tomo I. Concepción, Chile: CEEP, UBL, 2006, págs. 27-40.

Me parece importante señalar que el pentecostalismo, aunque nacido con el siglo XX, tiene una larga prehistoria que al menos comprende los siglos XVIII y XIX. Para esta prehistoria, mención especial merece la obra *Raíces teológicas del pentecostalismo* de Donald Dayton[157], quien de manera bien documentada y con mucha claridad expositiva ilumina el proceso que llevó al surgimiento del pentecostalismo, enfocando el desarrollo teológico en medio del controversial y dinámico ambiente religioso en Estados Unidos durante todo el siglo XIX, que a su vez recibe su impulso de los movimientos metodista y otros de renovación en Inglaterra del siglo XVIII. Esta es la investigación histórica-teológica que mejor esclarece las raíces múltiples del pentecostalismo moderno, así como las fuerzas y circunstancias que hicieron posible su gestación.[158] Con esta obra pionera, y varias que le siguieron, queda de manifiesto que el movimiento pentecostal es un fenómeno mucho más complejo y rico de lo que la mayoría de la gente supone. De igual modo, queda mostrado que el pentecostalismo forma parte de una larga tradición carismática, de religiosidad popular y de espiritualidad crítica y renovadora, cuyas raíces deben de rastrearse mucho más atrás en la historia de lo que generalmente se daba por sentado.[159]

La investigación histórica-teológica sobre los orígenes del pentecostalismo ha hecho esfuerzos por rastrear precedentes que permitan apreciar mejor la tradición carismática en la historia del cristianismo. Pero como han notado diversos autores y autoras, el registro de la presencia de movimientos carismáticos en la historia de la iglesia ha estado condicionado por la actitud de rechazo y condena por parte de las "historias oficiales". La afirmación popular de que "la historia la escriben los vencedores" es un hecho incuestionable, y desde Eusebio de Cesarea, en el siglo IV, hasta las grandes obras del siglo XX, podemos percibir que a los movimientos carismáticos sólo se les concede un espacio marginal. Con frecuencia, cuando se les dedica mayor atención, las referencias a ellos son más bien acentuando su carácter de "desviación", extremismo, heterodoxia u otras características "patológicas".[160]

---

[157] D. Dayton, *Raíces teológicas del pentecostalismo*. Buenos Aires: Nueva Creación, 1991.

[158] V. Synan, Raíces pentecostales, en: *El siglo del Espíritu Santo*, págs. 25-52.

[159] P. A. Deiros, *La acción del Espíritu Santo en la historia. Las lluvias tempranas (años 100-550)*. Miami: Caribe, 1998.

[160] Algunas formas de leer la historia "desde abajo" o "desde la periferia" son la mayoría de las obras de CEHILA, además de E. Dussel, editor, *Resistencia y esperanza. Historia del pueblo cristiano en América Latina y el Caribe*. Costa Rica: DEI, 1995; E. Hoornaert, *La memoria del pueblo cristiano. Una historia de la iglesia en los tres primeros siglos*. Buenos Aires: Paulinas, 1985; M. Salinas, *Historia del pueblo de Dios en Chile. La evolución del cristianismo desde la perspectiva de los pobres*. Santiago: REHUE, 1987; y en el campo

Esto es lo que ha acontecido con dos grandes movimientos cristianos, uno del pasado y otro del presente: el montanismo y el pentecostalismo. El primero surgido en la segunda mitad del siglo II y el segundo a principios del siglo XX. En el primer caso, se sabe más de sus orígenes por lo que sus detractores dijeron de él que por lo que sus propios protagonistas pudieron o quisieron registrar por escrito. En el segundo, la situación es algo diferente pues muchos de sus protagonistas de la primera generación dejaron escritos que ahora son fuentes valiosas para su estudio, aunque también abundaron los escritos detractores del movimiento, los que han acompañado al pentecostalismo durante toda su historia.

El montanismo y el pentecostalismo se caracterizan por compartir características muy similares, de tal manera que no es desproporcionado concebirlos como movimientos emparentados, a pesar de la gran distancia cultural y cronológica que existe entre ellos. Mostrar algunos de los rasgos comunes de estos movimientos carismáticos, así como tratar de entender las condiciones de su surgimiento y las reacciones que provocaron en sus respectivos contextos es parte de la intención de este ensayo. De igual manera, me parece urgente que en la etapa actual de los estudios sobre el pentecostalismo prestemos mayor atención a nuestras raíces espirituales y teológicas, pues estoy convencido que el replanteamiento de nuestro presente y futuro pasan por el análisis de nuestras raíces y nuestra historia. Por ello el estudio de otros movimientos del Espíritu similares puede proporcionarnos una mejor perspectiva histórica y orientación en nuestras visiones y revisiones.

No soy ingenuo para afirmar que el montanismo es un precedente directo del pentecostalismo, ni creo que un análisis comparativo en sí proporcione información y criterios directos para formulaciones teológicas o propuestas pastorales concretas. Los siglos II y III en Asia Menor, el contexto del montanismo más antiguo, es una situación socio-histórica y religiosa muy diferente a la de los siglos XIX y XX en los Estados Unidos y Latinoamérica. Sin embargo, hay dinámicas sociales y religiosas comunes, así como mecanismos eclesiásticos, actitudes, experiencias, situaciones vitales, preguntas, aspiraciones, transformaciones y otras condiciones... ¡asombrosamente similares entre ambos! que valen la pena revisar.

Dentro de los aspectos comunes que me propongo presentar en este

---

protestante J. Driver, *La fe en la periferia de la historia. Una historia del pueblo cristiano desde la perspectiva de los movimientos de restauración y reforma radical.* Guatemala: SEMILLA, 1997.

escrito destaco cuatro que me parecen centrales en ambos movimientos y que le dan esa similitud importante, además de que son básicos para entender mejor la esencia del montanismo y el pentecostalismo, así como de otros movimientos del Espíritu en la historia de la iglesia. Estos cuatro aspectos son los que establecen también la organización de este ensayo, que consiste en: 1) una introducción general al montanismo; 2) una delimitación del pentecostalismo de referencia para este estudio; 3) la exposición de los temas seleccionados: (a) la dimensión profética, (b) la participación de las mujeres, (c) el rigorismo ético; (d) el conflicto carismatismo contra institucionalización. El ensayo concluye con 4) una síntesis interpretativa.

2. El Montanismo o "movimiento de la nueva profecía"

El montanismo es un movimiento carismático que surgió en Asia Menor alrededor del año 160.[161] El nombre de "montanismo" lo recibió de sus detractores debido a que su líder principal se llamó Montano, aunque los participantes mismos se entendían como "movimiento de la nueva profecía", con lo cual expresaban el núcleo de su praxis religiosa.[162] Desde el principio, el liderazgo del movimiento estuvo compartido entre Montano y dos mujeres profetisas, Priscila y Maximilla, quienes desempeñaron roles protagónicos en la difusión y orientación del movimiento. En general, la presencia y destacada participación de mujeres fue una de las características más importantes del montanismo, y también uno de los aspectos que más le atacó la iglesia mayoritaria.[163]

---

[161] Algunas importantes obras sobre el montanismo: W.-D. Hauschild, *Lehrbuch der Kirchen- und Dogmengeschichte. Band 1: Alte Kirche und Mittelalter*. Gütersloh: Chr. Kaiser; Gütersloher Verlagshaus, 2000; K. Aland, *Die Frühzeit der Kirche in Lebensbildern. Von Jesus bis Justinian*. Münster: GTBSiebenstern, 1980; A. Strobel, *Das heilige Land der Montanisten. Eine religionsgeographiche Untersuchung*. Berlin; New York: Walter de Gruyter, 1980; W. Schepelern, *Der Montanismus und die phrygischen Kulte. Eine religionsgeschichtliche Untersuchung*. Tübingen, J. C. B. Mohr (Paul Siebeck), 1929; H. Kraft, Die altkirchliche Prophetie und die Entstehung des Montanismus, en: *Theologische Zeitschrift*, Jahrgang 11, 1955, págs. 249-271; Ch. Trevett, *Montanism. Gender, Authority and the New Profhecy*. Cambridge: Cambridge University Press, 1996.

[162] Anota J. Driver, *La fe en la periferia de la historia*, p. 60: "La característica que más destacaba al movimiento era su convicción de ser una nueva profecía; una nueva expresión carismática en que el espíritu de la profecía volvía a florecer en la Iglesia cristiana, en contraste con las estructuras institucionales de la autoridad eclesiástica." Ver: K. Koschorke, Gnosis, Montanismus, Mönchtum: Zur Frage emanzipatorischer Bewegungen im Raum der Alten Kirche, en: *Evangelische Theologie*, 53. Jahrgang, 1993, págs. 216-231, págs. 218-222.

[163] Ch. Trevett, *Montanism*, págs. 151-197.

El montanismo nunca fue acusado de herejía[164], pues ni aún sus más acérrimos detractores dirigieron sus ataques contra la enseñanza montanista, sino sobre sus prácticas religiosas, especialmente sobre el estado de éxtasis en que comunicaban sus profecías.[165] Parece que los y las montanistas afirmaban que el Espíritu Santo los llenaba e inducía a profetizar. Como movimiento de Asia Menor, las tradiciones juánicas, tanto las derivadas del evangelio de Juan como las del Apocalipsis, que tenían mucha resonancia en esa región (la actual Turquía), influyeron decididamente al montanismo. Del evangelio toman la figura del "Paracleto", el consolador y guía anunciado por Juan, con quien Montano se identificaba, según las fuentes escritas de que se dispone.[166] Del Apocalipsis toma el montanismo algunas de sus imágenes de esperanza, como la Nueva Jerusalén, así como el vocabulario profético de las cartas dirigidas a las comunidades, y la visión escatológica del conflicto con los poderes imperantes.[167]

El montanismo surge en el momento en que la iglesia mayoritaria está consolidando sus estructuras y afincando una posición de privilegio en el complejo sistema del imperio romano de la segunda mitad del siglo II. La estructura de poder y dirección se está afincando en torno a los obispos, hay ingentes esfuerzos por definir la enseñanza oficial de la iglesia y combatir a los elementos disidentes y "heréticos". En esas circunstancias, el montanismo surge como un elemento desestabilizador, pues pone en entredicho el poder episcopal, afirma la profecía como forma superior de enseñanza, desarrolla prácticas litúrgicas incompatibles con la liturgia oficial, etc.[168] De ahí se explica la ferocidad con que fue

---

[164] Según H. Paulsen, *Zur Literatur und Geschichte des frühen Christentums. Gesammelte Aufsätze*. Tübingen, Mohr Siebeck, 1998, el montanismo aceptó los escritos autoritativos y su enseñanza era ortodoxa, por lo que planteó un mayor problema a sus adversarios. Su forma de expresarse estaba emparentada con escritos tardíos del NT y de la iglesia antigua como la Didajé, el Pastor de Hermas y las Odas de Salomón.

[165] A. Strobel, *Das heilige Land der Montanisten*, págs. 48-49; W. Schepelern, *Der Montanismus und die phrygischen Kulte*, págs. 21-24; Ch. Trevett, *Montanism*, págs. 86-94.

[166] Ver: W.-D. Hauschild, *Lehrbuch der Kirchen- und Dogmengeschichte*, p. 76; W. H. Frend, *Montanismus*, p. 273.

[167] Sintetiza J. Driver, *La fe en la periferia de la historia*, p. 67: "Los montanistas tomaron el término para el Espíritu, Paracleto, de Juan. Los temas de la escatología y del milenarismo, del martirio, del conflicto entre Roma y Jerusalén, y de la exaltación de la virginidad, todos son temas prominentes del libro de Apocalipsis. Y en el montanismo, al igual que en el libro de Apocalipsis, notamos una marcada antipatía cristiana hacia todo el sistema opresivo que Roma representaba."

[168] Según la conclusión de K. Aland, *Die Frühzeit der Kirche in Lebensbildern*, p. 129: "En una época donde se consolidaba el canon y la tradición ganaba en importancia una nueva fuente de revelación era mucho menos tolerable que hacia finales del primer siglo. Y una iglesia que en su camino hacia el mundo

combatido el movimiento, tanto con escritos detractores y sínodos condenatorios[169], así como con violencia física y fuerza militar.[170]

El montanismo entendió las persecuciones en su contra como señal de elección divina y de la aproximación del fin del mundo, lo que motivó a sus adeptos a exaltar el martirio como la máxima prueba de fidelidad a Dios.[171] Es en ese ambiente también donde se radicalizan las tendencias proféticas, apocalípticas y de efervescencia carismática. Una de las consecuencias fue que el montanismo se expandiera rápidamente y que en pocas décadas alcanzara regiones tan distantes como Siria, Cartago, Roma y las Galias (hoy Francia).

El montanismo promovía una ética rigurosa, exaltando la virginidad y la abstinencia sexual como formas ideales de existencia cristiana. Sus adeptos practicaban con frecuencia el ayuno, en ocasiones en forma severa.[172] Esta ética de la austeridad y el autodominio fue uno de los rasgos que más atrajo a mucha gente, especialmente a mujeres.[173] El más conocido de los conversos al montanismo, a principios del siglo III, fue Tertuliano de Cartago, el teólogo más importante de su época, cuya conversión estuvo muy determinada por la propuesta ética del movimiento.

Una ética rigurosa, el entusiasmo apocalíptico, la exaltación carismática y el enorme espacio de participación de las mujeres son algunos de los factores que impulsaron el rasante crecimiento del montanismo, lo que puso en jaque a la iglesia mayoritaria, la que tuvo que desplegar todos los recursos a su disposición para combatirlo, incluyendo todo su arsenal teológico y varios sínodos anti-montanistas.[174] Estas persecuciones tuvieron éxito, aunque no tan rápido como la iglesia mayoritaria hubiera deseado, pues el movimiento de la nueva profecía

---

acababa de relativizar con éxito a la antigua escatología no podía permitir dar marcha atrás hacia la espera de un fin del mundo que estaba a las puertas."

[169] J. A. Fischer y A. Lumpe, *Die Synoden von den Anfängen bis zum Vorabend des Nicaenums*. Paderborn, München, Wien, Zürich: Ferdinand Schöningh, 1997.

[170] A. Strobel, *Das heilige Land der Montanisten*, págs. 21-22.

[171] K. Koschorke, *Gnosis, Montanismus, Mönchtum*, págs. 225-226; G. Buschmann, Xristou koinwnos (MartPol 6,2), das Martyrium und der ungeklärte koinwnos-Titel der Montanisten, en: *Zeitschrift für die neutestamentliche Wissenschaft und die Kunde der älteren Kirche*, No. 86, Band 1995, págs. 243-264, págs. 250-251.

[172] W. Schepelern, *Der Montanismus und die phrygischen Kulte*, págs. 55-73; J. Driver, *La fe en la periferia de la historia*, págs. 66-67; P. Brown, *Die Keuschheit der Engel. Sexuelle Entsagung und Körperlichkeit am Anfang des Christentums*. München; Wien: Carl Hanser Verlag, 1991, págs. 80-97.

[173] Ch. Trevett, *Montanism*, págs. 109-113.

[174] Ver: J. A. Fischer y A. Lumpe, *Die Synoden von den Anfängen bis zum Vorabend des Nicaenums*.

sobrevivió al menos hasta el siglo VI. Algunos autores afirman que hay huellas del montanismo incluso en el siglo IX. Aunque el montanismo fue exterminado hace muchos siglos, el Espíritu de la "nueva profecía" siguió reapareciendo en diversas épocas de la historia de la iglesia, y aunque no creo que este movimiento sea un precedente directo del moderno movimiento pentecostal, sí creo ambos movimientos han sido guiados por el mismo Espíritu y generado acciones y provocado reacciones similares.

3. Delimitación del pentecostalismo de referencia para este estudio

En su primer siglo de existencia, el pentecostalismo ha pasado por diferentes etapas en su evolución, desarrollando características variadas de acuerdo a los contextos con los que interactúa. Por ello se requiere delimitar y describir en esta reflexión un modelo de pentecostalismo que sirva de referencia comparativa con el montanismo. Con esta intención propongo como modelo el pentecostalismo de las primeras tres décadas, es decir, el que adquiere concreción a partir del movimiento de la Calle Azusa, hasta el de principios de los años 1930 en América Latina, fase que se puede considerar como de surgimiento y primera expansión.

En esta fase, el movimiento surgido en los Estados Unidos tiene entre sus características principales ser un movimiento popular, interracial, marcadamente carismático y escatológico.[175] Surgido en un ambiente de cambios sociales rápidos, y dentro de una sociedad de enorme dinamismo, el pentecostalismo fue el desenlace y punto de convergencia de fuerzas espirituales y sociales que se habían ido gestando durante la segunda mitad del siglo XIX. La crisis de los modelos eclesiásticos de las grandes denominaciones, la búsqueda de una espiritualidad más centrada en la vivencia y la emoción, la necesidad de tener un referente religioso que ofreciese una alternativa al mundo de los marginados de la sociedad, fueron algunos de los factores que permitieron el surgimiento de esa forma de espiritualidad. Desde el principio, grupos marginales como los negros, latinos, mujeres y blancos pobres asumieron esta espiritualidad con decisión.[176] El terrible terremoto de San Francisco de abril de 1906 y los cambios socio-políticos acelerados en estados como California,

---

[175] Ver: R. Owens, El avivamiento de la calle Azusa, págs. 53-86; D. Dayton, *Raíces teológicas del pentecostalismo*, págs. 123-128; F. Bartleman, *Azusa Street*, págs. 83-112.

[176] F. Bartleman, Azusa Street, págs. 113-152; W. Hollenweger, *El pentecostalismo*, págs. 7-12; M. Gaxiola, *La serpiente y la paloma. Historia, teología y análisis de la Iglesia Apostólica de la Fe en Cristo Jesús (1914-1994)*. México: Pyros, 1994, págs. 103-122.

avivaron un sentido de fin del mundo que habría de reflejarse en el mensaje y actitud pentecostales.

En América Latina, tanto los movimientos pentecostales influenciados por los de los Estados Unidos, así como los independientes y autóctonos, compartieron rasgos similares. En América Latina se experimentaba el fracaso de los modelos eclesiásticos de las misiones protestantes para dar respuesta a la necesidad religiosa de los pobres. El agravamiento de las crisis políticas y las convulsiones sociales también propiciaban un terreno fértil para la manifestación de tendencias milenaristas y apocalípticas. En medio de condiciones muy adversas, surgen los primeros grupos carismáticos, que poco después se convertirían en iglesias pentecostales. Se perfila en Chile lo que llegaría a ser la Iglesia Metodista Pentecostal[177], en Brasil la Congregación Cristiana de Brasil y las Asambleas de Dios[178], en México la Iglesia Apostólica de la Fe en Cristo Jesús.[179] Es una dinámica expansiva relativamente lenta, pero con una constancia suficiente para ir cubriendo el territorio latinoamericano en forma paulatina.

Tanto el pentecostalismo surgido en Estados Unidos como los diversos pentecostalismos latinoamericanos fueron movimientos populares, carismáticos, milenaristas, con amplia participación de las mujeres. Todos los pentecostalismos de esta época tienen un marcado énfasis en el ejercicio de los dones carismáticos, practican una moral estricta y tienen una fuerte tendencia escatológica. A medida que van creciendo y se van haciendo más presentes en la sociedad general, también empiezan a ser discriminados y atacados por las instituciones religiosas más antiguas y consolidadas. Estas características permiten identificar dinámicas similares del pentecostalismo respecto al montanismo. El estudio de estas dinámicas en perspectiva histórica y

---

[177] W. C. Hoover, *Historia del avivamiento pentecostal en Chile*. Concepción: CEEP Ediciones, 2008; J. Sepúlveda, *De peregrinos a ciudadanos*, págs. 91-110; L. Orellana, *El fuego y la nieve*, págs. 27-40; M. Herrera, *El avivamiento de 1909. Estudio histórico a partir de noticias y publicaciones de la época.* Santiago: Eben-Ezer, 2001.

[178] O. Silva y J. Stevannatto, El pentecostalismo en Brasil, en: C. Álvarez, editor, *Pentecostalismo y liberación. Una experiencia latinoamericana*. Costa Rica: DEI, 1992, págs. 17-36; L. S. Campos, Protestantismo histórico y pentecostalismo en Brasil: aproximaciones o conflicto, en: B. Gutiérrez, editor, *En la fuerza del Espíritu. Los pentecostales en América Latina: un desafío a las iglesias históricas*. Guatemala: AIPRAL; CELEP, 1995, págs. 91-140; P. Freston, Entre el pentecostalismo y la decadencia del denominacionalismo: el futuro de las Iglesias Históricas en Brasil, en: B. Gutiérrez, editor, *En la fuerza del Espíritu*, págs. 295-316.

[179] M. Gaxiola, *La serpiente y la paloma*; M. Gaxiola López, *Historia de la Iglesia Apostólica de la Fe en Cristo Jesús en México*. México: IAFCJ, 1964; E. López Cortés, *Pentecostalismo y milenarismo. La Iglesia Apostólica de la Fe en Cristo Jesús*. México: UAM, 1990.

teológica puede ser un auxiliar importante para comprender mejor aspectos esenciales de ambos movimientos, así como darnos luces sobre errores a evitar y aspectos que invitan a ser mejorados dentro de las tradiciones pentecostales contemporáneas. En esa dirección dirigiré mis próximos apuntes, limitándome a los cuatro aspectos que me parecen centrales y de mayor similitud en ambos movimientos.

4. Similitudes esenciales

4.1 La dimensión profética

Lo esencial del montanismo era su dimensión profética, como lo atestigua con claridad su auto denominación de "nueva profecía". Era un movimiento profético popular que se extendió rápidamente en regiones donde el profetismo del cristianismo originario no había perdido su vigencia, donde este carisma era practicado ampliamente por mujeres y hombres del pueblo sencillo, quienes de esa manera llamaban a los creyentes a dejarse guiar de manera directa por el Espíritu Santo, como había sido en los orígenes del cristianismo, según su convicción. Esta tendencia era provocada probablemente por la situación histórica que vivía la iglesia, la que estaba en una fase de consolidación de su doctrina oficial, del fortalecimiento de sus estructuras eclesiásticas y del afianzamiento del poder episcopal. Es decir, la iglesia mayoritaria definía y fortalecía su institucionalidad y circunscribía el papel del Espíritu a una actuación mediada por los obispos, quienes eran también los maestros autorizados para comunicar la doctrina de la iglesia y ser los intérpretes de la Escritura y los oficiantes de la eucaristía, los bautismos y otros ritos eclesiásticos centrales.[180]

La "nueva profecía" fue una de las reacciones de un pueblo cristiano que mantenía vivas las tradiciones de las primeras comunidades cristianas de Asia Menor, donde el intenso carismatismo, tanto el de cuño paulino como el de las tradiciones juánicas, era su principal característica. La autoridad que se asignaba a los profetas y las profetisas populares era muy grande en el montanismo, tanto que generó toda una serie de virulentos

---

[180] Escribe el influyente Ignacio de Antioquía, Carta a los esmirniotas, VIII, 1-2: "Seguid todos al obispo, como Jesucristo al Padre. ... Que nadie, sin contar con el obispo, haga nada de cuanto atañe a la Iglesia. Sólo aquella Eucaristía que se celebre por el obispo o por quien de él tenga autorización ha de tenerse por válida. Donde quiere apareciere el obispo, allí esté la muchedumbre, al modo que dondequiera estuviere Jesucristo, allí está la Iglesia universal. Sin contar con el obispo no es lícito ni bautizar ni celebrar la Eucaristía; sino más bien, aquello que él aprobare, eso es también lo agradable a Dios, a fin de que cuanto hiciereis sea seguro y válido." Citado por J. Driver, *La fe en la periferia de la historia*, p. 64.

ataques de algunos de los teólogos más importantes de su tiempo, así como también motivó la convocación de concilios con el fin expreso de condenar este movimiento.[181] El montanismo era muy preocupante para la iglesia mayoritaria, pues ponía en jaque los fundamentos en que descansaba su fortalecimiento institucional.

La "nueva profecía" se convirtió en un urgente llamado al retorno a las raíces carismáticas del cristianismo, a un compromiso más intenso con el llamamiento al seguimiento de Jesús y al despliegue de una ética más rigurosa, sin concesiones ni compromisos con el mundo ni con el imperio romano. En conjunto y en su esencia, esta función profética estaba en continuidad con la profecía de las primeras comunidades cristianas, por lo tanto el adjetivo "nueva" no se refería a algo distinto, al inicio de una forma diferente de profetizar o a la presentación de un mensaje novedoso, sino a una fase nueva de la profecía de los tiempos apostólicos[182], probablemente entendida como la fase de la manifestación activa del Paracleto prometido por Jesús en el evangelio de Juan, con quien parece Montano se identificaba.

Un intento de retorno a las vivencias carismáticas originales del cristianismo, que en la comprensión montanista eran una acción directa del Espíritu Santo, quien guiaba en forma directa a las comunidades, representaba sin duda una crítica intolerable para la iglesia episcopal, quien afirmaba que la profecía, la enseñanza, el otorgamiento del bautismo y la eucaristía y la mediación del Espíritu estaban circunscritas a la acción de los obispos, quienes debían ejercer control sobre ellas.[183] En cambio, en el montanismo eran principalmente las mujeres y los hombres del pueblo simple, sin mayor educación y sin ocupar cargos eclesiásticos, quienes ejercían el carisma profético. El mensaje anunciado de la presencia del Espíritu en toda la comunidad, del retorno inminente del Señor, de la exigencia de una vida ética intachable y modesta, era incompatible con una iglesia que se preparaba para vivir en compatibilidad con el imperio romano y como una institución estructuralmente sólida y estable.[184] La iglesia mayoritaria no podía

[181] El mejor análisis sobre este tema me parece ser J. A. Fischer y A. Lumpe, *Die Synoden von den Anfängen bis zum Vorabend des Nicaenums*. Paderborn, München, Wien, Zürich, Ferdinand Schöningh, 1997.

[182] H. Paulsen, *Zur Literatur und Geschichte des frühen Christentums*, p. 338.

[183] A. Strobel, *Das heilige Land der Montanisten*, 285; G. Buschmann, Xristou koinwnos (MartPol 6,2), das Martyrium und der ungeklärte koinwnos-Titel der Montanisten, págs. 243-264, págs. 125-126.

[184] C. Colpe, Selbstdefinition durch Rituale im hellenistisch-chrsitlichen Kleinasien: Zu Abgrenzungen zwischen Kybelemysterien, Taurobolien, Montanismus und Bischofskirche, en: *Logos*, Beihefte zur ZNW, Band 67, Berlin; New York, 1993, págs. 30-56.

tolerar la existencia de esta expresión cristiana, so pena de correr el riesgo de dejar abierta una fosa que podría llegar a convertirse en su propia tumba.

Parece ser que el movimiento no produjo muchos escritos, o si los produjo fueron destruidos. Por ello las únicas fuentes para su estudio son las de sus detractores, lo que obliga a ser muy precavidos a la hora de tratar de definir su enseñanza. Entre los especialistas hay cierto consenso de que se han conservado unos 14 dichos proféticos, tanto de Montano como de las profetisas Priscila y Maximilla. Aquí presento algunos de ellos:

> Me persiguen como si fuera un lobo en medio del rebaño. No soy lobo; soy palabra, espíritu y poder. (Maximilla)
>
> Ellos [los maestros gnósticos que niegan la resurrección] son carne, y sin embargo odian la carne. (Priscila)
>
> Después de mí ya no habrá profetas, sino que llega el fin. (Priscila)
>
> En forma de mujer, vestido con un manto brillante, Cristo vino a mí y me llenó de sabiduría y me reveló que ese lugar [Pepuza] era santo y que ahí habría de descender la Jerusalén celestial. (Priscila)
>
> Un siervo santo entiende cómo se debe servir a la Santidad. (Montano)

Vistos en conjunto, el contenido de los dichos proféticos expresan la convicción de una directa inspiración del Espíritu Santo, una convicción profética indiscutible y una crítica al cristianismo mayoritario. Llama la atención por su atrevimiento la presentación de Cristo como mujer, el anuncio de haber sido Priscila llena con la sabiduría divina y la proclamación de la humilde Pepuza como lugar del próximo advenimiento de Cristo. Seguro son el reflejo de una enseñanza más amplia que no podía ser tolerada por la ortodoxia en consolidación y sus representantes.

Como el espacio disponible y el objetivo de este ensayo no lo permiten, sólo quiero aludir que el pentecostalismo de los orígenes también fue un movimiento popular de renovación espiritual donde la profecía jugó un papel preponderante. Los grandes avivamientos del Espíritu que están en los orígenes del pentecostalismo moderno, como los de la India, Gales, Los Ángeles y Valparaíso, entre otros, tuvieron una fuerte dimensión profética. Los testimonios al respecto son abundantes y basta la lectura de algunas de las obras de historia general del pentecostalismo para percatarse de ello. La figura profética central en el avivamiento de Valparaíso fue Elena Laidlaw, mejor conocida como la "hermana Elena"[185], quien a través de su ministración profética desafió a la anquilosada maquinaria eclesiástica metodista de su tiempo y provocó la reacción que llevaría a la expulsión del grupo que se convertiría en la primera comunidad pentecostal latinoamericana, al poco tiempo denominada Iglesia Metodista Pentecostal. Otros fundadores y fundadoras de comunidades pentecostales originarias en Latinoamérica aluden a su vocación profética, o a visiones y circunstancias extraordinarias, como el origen de su vocación misionera. Tal es el caso de Luigi Francescon, Vingran y Daniel Berg para Brasil[186], y Romanita Carbajal en México[187], quienes inician su predicación pentecostal en obediencia a la voz de Dios, según sus propias afirmaciones.

El carácter profético del pentecostalismo originario fue uno de sus componentes más llamativos, el cual molestaba más al protestantismo histórico que al catolicismo, ya que el referente eclesiástico más cercano eran las iglesias protestantes. En el pentecostalismo, como lo fue en el montanismo, este carisma profético fue lo que con mayor fuerza atrajo los ataques externos.

4.2 Activa participación de las mujeres

Sin duda la masiva y dinámica participación de las mujeres es otro de los rasgos llamativos y esenciales tanto del montanismo como del pentecostalismo. Desde el principio, junto a Montano se destacará el liderazgo y el carisma profético de Maximilla y Priscila. Ambas mujeres gozaron de un prestigio tal, que aún después de su muerte se mantuvieron como referencias indiscutibles del movimiento, y sus dichos proféticos alcanzaron un estatus casi canónico.

El rol activo de las mujeres, desempeñándose en diversos ministerios

---

[185] Además de las obras ya citadas sobre el pentecostalismo chileno, se puede consultar: A. Rasmussen y D. Helland, *La Iglesia Metodista Pentecostal Pentecostal ayer y hoy*. Tomo I. Santiago: Plan Mundial de Asistencia Misionera en Chile, 1987; E. Salazar, *"Todas seríamos rainhas". Historia do pentecostalismo chileno da perspectiva da mulher, 1909-1935*. Tesis de Maestría. Instituto Metodista de Ensino Superior. São Bernardo do Campo, SP, Brasil, 1995.

[186] Ver las obras citadas sobre el pentecostalismo brasileño en este ensayo.

[187] Además de las obras ya citadas sobre el pentecostalismo mexicano, C. León, *Hacia una definición del ministerio de la mujer de la Iglesia Apostólica de la Fe en Cristo Jesús de México*. Tesis de Licenciatura. Seminario Bíblico Latinoamericano, Costa Rica, 1995; C. León, La participación de la mujer en la Iglesia Apostólica de la Fe en Cristo Jesús, en: *Vida y Pensamiento*, Vol. 16,2, SBL, Costa Rica, 1997, págs. 116-126.

y funciones, fue uno de los aspectos que más chocó a la iglesia mayoritaria de su tiempo[188], la que precisamente estaba fortaleciendo en la práctica y a través de su teología y formulaciones disciplinarias su exclusión de las tareas eclesiásticas y litúrgicas más significativas. La activa y central participación de mujeres en el movimiento de Jesús y en las comunidades paulinas había empezado a sufrir drásticas restricciones en la libertad de acción en las comunidades de la tercera generación cristiana (de lo que son testigas las cartas Pastorales), degenerando en su exclusión casi total hacia la mitad del siglo II, es decir, en la época de gestación del montanismo.[189] Por ello un movimiento como el montanista, donde el Espíritu actuaba a través de mujeres carismáticas en todas las funciones que la iglesia mayoritaria había consagrado a los hombres, simplemente no podía ser tolerado.[190]

Aunque la función profética es la más criticada por los opositores, las mujeres montanistas se distinguían también por su celo evangelístico, su trabajo diaconal, su destreza organizativa y la valentía en el testimonio, llegando con frecuencia hasta el martirio. Bajo el intenso ambiente de persecución a que fue sometido el movimiento, aunado a las expectativas escatológicas, el martirio se convirtió en uno de los rasgos principales del montanismo. Casi todas las fuentes antiguas atestiguan que las mujeres montanistas mostraron gran disposición al martirio.[191] Incluso hay investigadores que sostienen que las mártires más conocidas de ese período, Perpetua y Felicitas, eran montanistas o estaban familiarizadas con esta espiritualidad.[192]

En el sistema ético del movimiento eran muy valoradas la abstinencia sexual, la práctica frecuente y rigurosa del ayuno y la virginidad. Algunas investigadoras feministas han intentado mostrar que esos rasgos son parte de la lucha de las mujeres por liberarse del yugo de un sistema patriarcal que somete a las mujeres y las encadena a la dependencia y sujeción a un padre, a un marido y un sistema social misógino.[193] Por ello consideran

---

[188] Ch. Trevett, *Montanism*, págs. 151-158.

[189] P. Deiros, *La acción del Espíritu Santo en la historia*, págs. 91-118.

[190] Anota J. Driver, *La fe en la periferia de la historia*, p. 65: "La comunidad neotestamentaria, siguiendo el ejemplo de Jesús, había reconocido los ministerios que las mujeres ejercían en su interior. Y ahora, en este movimiento de renovación carismática, florecen de nuevo estos ministerios ejercidos por mujeres. Seguramente, para estas mujeres rurales, acostumbradas al servilismo a que eran sometidas por las estructuras sociales tradicionales, y que las duras labores agrícolas sólo servirían para hacer más agudo, esto representaba una gran liberación."

[191] Ch. Trevett, *Montanism*, págs. 176-178.

[192] Ch. Trevett, *Montanism*, págs. 176-184.

[193] Ch. Trevett, *Montanism*, págs. 151-155.

factible que muchas mujeres encontraron en el montanismo y su fuerza espiritual un espacio religioso y social a partir del cual pudieron liberarse de estructuras opresivas para poder desplegar sus cualidades y potencialidades religiosas y humanas.

Las profetisas Maximilla y Priscila, a las que posteriormente se les unió Quintilla, se sabían dentro de una tradición de mujeres carismáticas que venía desde las hijas de Felipe y las mujeres carismáticas de Corinto. Eran conscientes de ser eslabones de una cadena que las unía a la espiritualidad promulgada por Jesús y continuada por Pablo, aun dentro de las limitaciones culturales y religiosas del contexto del apóstol. Así, las mujeres montanistas no eran un apéndice raro dentro de la iglesia, sino la continuidad viva de una tradición que se remontaba a los orígenes cristianos, a Jesús mismo.[194] Y me parece que los grandes teólogos de la iglesia mayoritaria, especialmente Irineo de Lyon, lo entendían muy bien y por ello se explica el celo fanático con que atacó este rasgo del montanismo. En general, todos los escritos detractores del movimiento, que son los únicos que se conservan, con la excepción de algunos escritos favorables tardíos de Tertuliano, contienen ataques feroces contra este rasgo central del movimiento.

Cuando muere Montano, parece ser que Priscila dirige el movimiento todavía por mucho tiempo, probablemente dieciocho años más, y parece que en algunas regiones se le llamó al movimiento "priscilianismo".[195] Incluso cuando en alguna fase intermedia en el desarrollo del movimiento se adoptan denominaciones de la iglesia mayoritaria para identificar algunos ministerios y cargos eclesiásticos, la mayoría de las funciones son desempeñadas por mujeres, incluyendo los cargos de "obispas" y "presbíteras".[196]

Haciendo el salto histórico propuesto para este ensayo, se puede notar que hay muchos rasgos comunes del montanismo y el pentecostalismo también en este aspecto. Tanto en el movimiento de Los Ángeles como en el de varios países y denominaciones pentecostales en Latinoamérica, las mujeres han ocupado y ocupan una centralidad indiscutible, y sin su acción el pentecostalismo no hubiera nunca alcanzado la difusión y la fuerza que posee en la actualidad. El estudio

---

[194] K. Koschorke, *Gnosis, Montanismus, Mönchtum*, págs. 222-224.

[195] Ch. Trevett, *Montanism*, págs. 159-162.

[196] Para una excelente discusión sobre el tema: G. Buschmann, Xristou koinwnos (MartPol 6,2), das Martyrium und der ungeklärte koinwnos-Titel der Montanisten, en: *Zeitschrift für die neutestamentliche Wissenschaft und die Kunde der älteren Kirche*, No. 86, Band 1995, págs. 243-264.

del origen y la historia del pentecostalismo en todos los contextos testifican de esta participación protagónica de las mujeres. Incluso proyecciones serias afirman que la composición de la membresía de las iglesias pentecostales contemporáneas está constituida en promedio por un 70 % de mujeres, y también su participación en diversos ministerios esenciales es una de las mayores riquezas del pentecostalismo. Desafortunadamente, mientas que contra el montanismo la acción opositora vino del exterior, en el pentecostalismo la oposición al pleno despliegue de las facultades femeninas se desarrolla desde el interior mismo de las comunidades pentecostales. Esta es una de las razones por las que considero una tarea urgente volver nuestra mirada a la historia, tanto a movimientos precedentes como el montanismo, pero también hacia nuestros propios orígenes pentecostales, para rectificar una actitud que nos refrena en el despliegue de todo nuestro potencial eclesial y social.

El movimiento de Los Ángeles estuvo constituido mayoritariamente por mujeres, muchas de las cuales desempeñaron roles centrales de liderazgo. Según la descripción de R. Owens, "pocos días antes [del gran avivamiento] un puñado de lavanderas y domésticas afroamericanas había seguido al predicador negro William J. Seymour en la iniciación de los cultos en un viejo templo abandonado de la Iglesia Metodista Episcopal Africana de la calle Azusa."[197] La primera mujer que experimentó la glosolalia fue una mujer, Agnes Ozman, así como también fueron mujeres las primeras que dieron libre expresión a los carismas que se hicieron presentes en la Misión de la Fe Apostólica. Cuando Seymour decidió formar una junta presbiterial para organizar mejor el trabajo de la misión, ésta estuvo compuesta por cuatro hombres y siete mujeres.[198] Afirma R. Owens respecto a la pareja Seymour que, "durante los muchos periodos en que estaba ausente, su esposa, Jenny Evans Moore Seymour, dirigía la misión de Azusa, que en esa época era una pequeña iglesia afroamericana."[199]

Muchas mujeres impulsaron la expansión pentecostal, tanto en el interior de los Estados Unidos, como hacia el exterior, siguiendo y superando el fervor misionero de las mujeres de las iglesias evangélicas del siglo XIX, que también había sido extraordinario.[200] Las primeras

[197] R. Owens, El avivamiento de la calle Azusa, p. 54.

[198] S. C. Hyatt, Mujeres llenas del Espíritu, en: V. Synan, *El siglo del Espíritu Santo*, págs. 281-318, p. 297.

[199] R. Owens, El avivamiento de la calle Azusa, p. 80.

[200] S. C. Hyatt, Mujeres llenas del Espíritu, págs. 281-318.

comunidades pentecostales mexicanas en Los Ángeles surgieron gracias a la labor evangelística y testimonial de mujeres. Según G. Alvarado, "los mexicanos que asistían a la misión [de la calle Azusa] eran evangelizados por un grupo de mujeres afroamericanas que se encargaban de hacer proselitismo en las calles del barrio donde residían los mexicanos."[201] En circunstancias diferentes, la acción de mujeres como Elena Laidlaw y Romana Carvajal, entre muchas otras mujeres pioneras, se han convertido en símbolos ejemplares del papel protagónico de las mujeres en el origen y expansión del pentecostalismo latinoamericano.

En el pentecostalismo, así como lo fue con el montanismo, este protagonismo y los múltiples carismas y ministerios ejercidos por las mujeres, fueron aspectos sobre los que se exacerbó la crítica contra el movimiento. Su participación decidida desafiaba los modelos eclesiológicos y litúrgicos dominantes en el protestantismo tradicional, revelando y exponiendo modelos diferentes de articularse como "pueblo de Dios", a partir de bases sociales amplias, desde el interior de las familias y los barrios marginales, desde donde surgía la propuesta pentecostal con un rostro eminentemente popular y femenino. El discreto carisma organizador y testimonial de Romana Carbajal, así como el imperioso profético y crítico de Elena Laidlaw, se convirtieron pronto en blanco de las duras críticas del entorno eclesiástico que no podía soportar verse cuestionado por estos modelos emergentes.[202] Pero el resultado de esta oposición fue similar al generado en el montanismo, ya que las mujeres, en vez de doblegarse, redoblaron sus esfuerzos y su participación se hizo más intensa, logrando convertirse en la fuerza espiritual y social más importante en ambos movimientos.[203]

---

[201] G. Alvarado López, *El poder desde el espíritu. La visión política del pentecostalismo en el México contemporáneo.* Buenos Aires: Libros de la Araucaria, 2006, p. 50.

[202] Según W. Hoover, *Historia del avivamiento pentecostal en Chile*, p. 70, una comisión de la Iglesia Metodista Episcopal de refirió en los siguientes términos de la hermana Elena: "Además como una tal Elena Laidlaw ha estado pretendiendo ser profetisa enseñando doctrinas extrañas y contrarias a las Escrituras, ostensiblemente como exponente de enseñanzas metodistas, nosotros por la presente rechazamos a la tal como que en ninguna manera es ella representante de la Iglesia Metodista Episcopal en doctrina, métodos o conducta, y advertimos a nuestros miembros contra los errores que ella ha tratado de diseminar entre ellos."

[203] Algunos estudios para contextos latinoamericanos: A. L. Sánchez y O. Ponce, La mujer en la Iglesia Pentecostal: un acercamiento inicial a la práctica religiosa, en: B. Gutiérrez, editor, *En la fuerza del Espíritu*, págs. 221-236; S. Pilco, Testimonio de la mujer pentecostal en Ecuador, en: B. Gutiérrez, editor, *En la fuerza del Espíritu*, págs. 237-248; H. Slootweg, Mujeres pentecostales chilenas. Un caso en Iquique, en: B. Boudewijnse, A. Droogers y F. Kamsteeg, editores, *Algo más que opio. Una lectura antropológica del pentecostalismo latinoamericano y caribeño*. Costa Rica: DEI, 1991, págs. 77-93; D. López,

Desafortunadamente en el pentecostalismo contemporáneo ese papel protagónico y pionero que tuvieron las mujeres ha ido siendo desplazado hacia la periferia, constituyendo un empobrecimiento general para el movimiento. Una de las tareas urgentes para el siglo que transcurre, es lograr la participación conjunta de hombres y mujeres en la generación de los espacios necesarios para ese despliegue espiritual, social y emocional que estuvo en los orígenes del movimiento y del que tanta urgencia tenemos en la actualidad. Con el montanismo no se logró, pero la experiencia histórica puede servirnos como preventivo para oponernos con todos los medios al alcance a que la experiencia negativa se repita.

4.3 Rigorismo ético

El montanismo proclamó la necesidad de llevar una vida sobria y disciplinada. Las decisiones y conductas éticas se desarrollan dentro de un marco histórico ante el cual reaccionan, con frecuencia como respuestas a una situación dominante que se reprueba. Las actitudes éticas de motivación religiosa tienen su fundamento en la comprensión de lo que se considera ser la voluntad de Dios o de los dioses respecto a la conducta de los creyentes. Las posiciones éticas rigurosas del montanismo deben ser entendidas en relación a un contexto dominado por religiones paganas frigias donde los rituales de fecundidad, que generalmente incorporan rituales sexuales alusivos a la reproducción de la vida, eran los dominantes[204], así como incompatibles con la ética sexual de abstinencia y control del cristianismo de los orígenes.[205] Estos rituales pretenden estimular a la naturaleza a desplegar sus fuerzas reproductivas, su capacidad renovadora de la vida y productora de frutos abundantes. Por otro lado, el montanismo también estaba reaccionando con su rigorismo ético a algunas prácticas libertinas establecidas dentro de algunos grupos cristianos de Asia Menor de tendencia gnóstica, tendencias que ya preocupaban a algunos de los escritores del Nuevo Testamento (Pablo, por ejemplo).

El rigorismo ético tiene en el montanismo una dimensión de protesta, pues al exigir una conducta sexual austera, afecta uno de los mecanismos del ejercicio del control estructural sobre las mujeres, el matrimonio, y les permite a ellas desarrollar un espacio de libertad en el que pueden actuar en igualdad de condiciones que los varones. La abstinencia sexual de las

---

De excluidas a protagonistas: mujeres pentecostales y organizaciones populares, en: *El nuevo rostro del pentecostalismo latinoamericano*. Lima: CENIP, 2002, págs. 125-156.

[204] W. Schepelern, *Der Montanismus und die phrygischen Kulte*, págs. 55-59.

[205] P. Brown, *Die Keuschheit der Engel*, págs. 80-97.

mujeres casadas, así como la exaltación de la virginidad como estado ideal para lograr un estado religioso superior, son presupuestos centrales del montanismo[206], y ambos en forma indirecta apuntan a destacar la igualdad de posiciones en el ámbito religioso entre hombres y mujeres. Por ello se registran tantos casos de mujeres profetisas, evangelistas, diaconisas y maestras en el montanismo, pues en el ejercicio de la religión ellas se liberan de estructuras convencionales y pueden desplegar potencialidades que la estructura social y familiar de ese tiempo no les permitía dentro de los parámetros establecidos.

Esta disposición hacia el rigorismo ético también recibió un impulso importante del ambiente escatológico predominante, pues las tendencias religiosas que anuncian el fin del mundo, o cambios drásticos en su devenir histórico, generalmente van acompañadas de anuncios concretos e imperiosos de estas transformaciones esperadas.[207] Si el Señor estaba por regresar, era necesario estar preparados para el encuentro con Él, y esa preparación era comprendida como una purificación corporal y espiritual rigurosa, lo que dentro de los parámetros religiosos de ese tiempo, se traducía como un riguroso ascetismo. Fue esta dimensión ética lo que más atrajo hacia las filas del montanismo alrededor del año 207 a Tertuliano, "el primer teólogo pentecostal de importancia en la iglesia."[208]

También las prácticas e ideología ascéticas se expresaban como una crítica contra un clero que en amplios sectores asimilaba formas de vida convencionales de otros cultos dentro del imperio romano, ostentando riquezas materiales, ejerciendo dominio señorial sobre siervos y territorios, estableciendo relaciones amorosas no convencionales con mujeres y mancebos e inmiscuyéndose en intrigas políticas y transacciones comerciales. Por ello el montanismo, que desea restaurar la pureza de la iglesia, por el despliegue de los dones del Espíritu busca preparar a la gente para el encuentro con el Señor, ejercitaba su vivencia religiosa carismática dentro de una ética rigurosa, que al mismo tiempo era una crítica implícita a los modelos y prácticas eclesiásticas predominantes. Según la descripción de Juan Driver:

---

[206] C. Colpe, *Selbstdefinition durch Rituale im hellenistisch-chrsitlichen Kleinasien*, p. 50.

[207] Comparto la opinión de J. Driver, *La fe en la periferia de la historia*, p. 67: "En el fondo, detrás de las ideas y de las prácticas que nos parecen un tanto extrañas y exageradas, detrás del milenarismo y la extrema exaltación del celibato, podemos apreciar la presencia de un pueblo oprimido y perseguido que se resiste a someterse al diálogo con las autoridades bajo las condiciones dictadas por ellas."

[208] S. Burguess, Ancient Christians Traditions, p. 62, citado por P. Deiros, *La acción del Espíritu Santo en la historia*, p. 111.

> Los montanistas vivieron un cristianismo popular extremadamente riguroso con un gran entusiasmo apocalíptico. Reconocieron en la ciudad de Roma, al igual que en la estructura imperial entera, el reino de las tinieblas en lucha mortal contra el reino de la luz, exactamente como los cristianos que leyeron primeramente el Apocalipsis de Juan. Montano, al igual que Juan, el profeta apocalíptico, llamaba a la Iglesia al arrepentimiento ante la inminente llegada del reino de Dios. Se trataba de una renovación de la esperanza escatológica, al igual que de la autoridad carismática y de una seriedad ética.[209]

Volviendo la mirada al siglo XX, nos percatamos de que la conducta ética del pentecostalismo más tradicional contiene varios rasgos paralelos a la ética montanista. Algo de lo más impactante del pentecostalismo de los orígenes en Estados Unidos fue su efecto reconciliatorio entre blancos y negros, que vivían todavía bajo los efectos de las políticas y prácticas segregacionistas, abolidas según la ley, pero aún muy afincadas en la cultura y la sociedad, incluyendo a muchas iglesias. Pastores de diversos grupos étnicos y colores de piel ministraban juntos durante los cultos y otras actividades religiosas. Era frecuente que pastores negros oraran imponiendo las manos sobre creyentes blancos, algo chocante en algunos ambientes de segregación racial. Como lo expresó Frank Bartlemann en diversas ocasiones: "La sangre de Cristo había borrado la línea divisoria entre negros y blancos."[210]

El pentecostalismo proyectó una ética rigurosa contextual, tal como lo hizo el montanismo. Las grandes ciudades californianas como Los Ángeles y San Francisco, aún no liberadas del todo de la "fiebre del oro", eran centros de atracción masiva para multitudes heterogéneas, que albergaban todas las formas de vida y oficios, las que se daban cita en esas ciudades, y por tanto también en las iglesias. El control social sobre la conducta era muy débil, como se da en sociedades con mucha movilidad, y las relaciones estables que gozaban de sanción religiosa y social eran más la excepción que la regla. Esa situación generaba un ambiente propicio para las relaciones temporales, el consumo excesivo de bebidas embriagantes, la proliferación de tabernas y prostíbulos, la multiplicación de robos, atracos, estafas y otras formas de criminalidad mayor y menor. También aquí podemos percibir que el rigorismo ético proclamado por el pentecostalismo era una respuesta necesaria a una situación de crisis social, ante la cual las iglesias católica y protestantes no podían contribuir

[209] J. Driver, *La fe en la periferia de la historia*, p. 66.
[210] F. Bartleman, *Azusa Street*, p. 96.

mucho por su baja injerencia en los ambientes más populares y afectados. El mensaje pentecostal, en cambio, proponía una vida de sobriedad, predicando contra el consumo de bebidas alcohólicas y las relaciones sexuales fuera del matrimonio, proponiendo la frugalidad y la sencillez en la alimentación y el vestir, y exigiendo el abandono de las prácticas de diversión "mundanas". Mucha gente necesitada de una fuerza que les ayudara a reorientar su vida y les ofreciera un anclaje seguro en ese caos social encontró en el pentecostalismo su gran oportunidad.

Como en el montanismo, el rigorismo ético pentecostal fue una respuesta necesaria ante el complejo contexto dominante de libertinaje y desajuste social donde se concretizó como fenómeno religioso propio. De igual modo, el ambiente escatológico donde se desarrolló los primeros años jugó un papel determinante. El terremoto de San Francisco de abril de 1906, la situación de crisis económica y social, la preocupación por los avances acelerados de las ciencias y la técnica, entre otros factores, contribuyeron a reforzar ese sentimiento de "fin del mundo".[211] Además, y también en correspondencia con el montanismo, la espera del inminente retorno de Cristo, predicada por varios movimientos de avivamiento y por muchos grupos fundamentalistas, reforzada por las vivencias carismáticas intensas, impulsaba a los pentecostales de los orígenes a buscar vivir en santidad plena como preparación para ese glorioso esperado encuentro. De esa manera, también en el pentecostalismo la conducta ética contiene un alto grado de protesta y crítica social[212], pues en realidad se está presentando un modelo de vida y de relaciones familiares y sociales que están en contraposición al modelo dominante en la sociedad. Es decir, se propone un modelo de vida alternativo y contracultural.

El mismo rigorismo ético encontramos en los orígenes de los pentecostalismos latinoamericanos, en principio debido a factores similares, pero también fomentados por situaciones contextuales propias. Como referencia se puede señalar en los orígenes del pentecostalismo mexicano los disturbios generados por la revolución (1910-1917), los que provocaban una situación de desestabilización social, despoblamiento de muchas zonas rurales, intensificación de la vida urbana, carestía general de la vida, agudización de conflictos iglesia-gobierno[213], entre otros cambios. Aquí el pentecostalismo se desarrolla impulsando una actitud

---

[211] D. Dayton, *Raíces teológicas del pentecostalismo*, págs. 99-120.

[212] G. Lugo, Ética social pentecostal: santidad comprometida, en: C. Álvarez, editor, *Pentecostalismo y liberación*, págs. 101-122.

[213] M. Gaxiola López, *Historia de la Iglesia Apostólica de la Fe en Cristo Jesús de México*, págs. 27-32.

ética rigorista que busca mantener la cohesión social y la funcionalidad familiar amenazadas por las circunstancias cambiantes e inestables del entorno. En Chile, a su vez, el mensaje pentecostal buscaba confrontar los problemas de la vida urbana, de los cuales las relaciones no sancionadas socialmente y la arraigada práctica del consumo de bebidas embriagantes en los sectores populares eran dos de los más reticentes.[214]

En ambos contextos, el pentecostalismo planteó como necesidad vivir una vida sobria, ordenada, de cautela ante las ofertas "mundanas" del entorno. En ambos casos, el ambiente escatológico dominante contribuyó de manera decidida para reforzar las posturas éticas rigurosas, pues se creía en la necesidad de tener un testimonio intachable ante el inminente encuentro con Cristo. En ambos casos, la ética se perfila casi como un anti-programa que busca contrastarse lo más nítidamente posible con las prácticas de la población mayoritaria, las que reprobaban por conocerlas en sus efectos destructivos por experiencia propia. La presencia del Espíritu y la exaltación de los dones carismáticos fueron en ambos casos el recurso principal para justificar y vivir esa actitud ética estricta. La presencia del Espíritu y el empoderamiento que otorgaba a cada creyente se convirtieron en la referencia religiosa fundamental para explicar los cambios de conducta y la fuerza para mantenerse dentro de los ideales de pureza. Es obvio que estas actitudes puristas llevaron a algunos exaltados carismáticos a posiciones extremas y los condujeron a asumir actitudes fanáticas, pero este es un fenómeno marginal en ambos procesos y no su disposición o conducta dominante.

Vemos pues, que tanto en el montanismo como en el pentecostalismo, el rigorismo ético prevaleciente obedece a lógicas y contextos religiosos con muchas similitudes. La exaltación carismática conduce en ambos movimientos a la búsqueda de una actitud ética diferente, de contraste con la del contexto donde se encuentran interactuando, y se convierte al mismo tiempo en una propuesta alternativa a los patrones de conducta dominantes, a los que consideran negativos y destructores de la vida individual y social. En ambos movimientos carismáticos la presencia del Espíritu era comprendida como empoderamiento transformador del individuo y de las formas de conducta. El Espíritu se concebía como restaurador, transformador e impulsor, y mucho menos como fuente de gozo y paz, como con tanta frecuencia se le reduce en la actualidad.

[214] L. Orellana, *El fuego y la nieve*, págs. 20-24.

4.4 Carisma como principio de autoridad

Alrededor del año 160, cuando surge el montanismo, la iglesia mayoritaria está en pleno proceso de afincar el poder episcopal como la base de la estructura eclesiástica. El canon de los libros oficiales no se ha establecido, pero ya hay una avanzada tradición y un consenso en formación sobre los libros que deben estar incluidos, así como sobre las doctrinas más importantes de la iglesia.[215] La época de efervescencia carismática de la iglesia de los orígenes aparece como en decadencia, replegada a los márgenes heterodoxos por una iglesia que busca afianzar su papel en el imperio romano por medio del establecimiento de estructuras sólidas y principios directrices claros. Por ello cualquier brote carismático o profético era visto como una perturbación al proceso de consolidación.[216] La disidencia teológica, las espiritualidades alternativas o las visiones críticas no podían ser toleradas dentro de la lógica institucional. Los obispos querían mantener relaciones libres de conflictos con el imperio y la sociedad secular a fin de garantizar la tolerancia hacia la iglesia para que ésta se pudiera seguir desarrollando sin impedimentos. El montanismo, como movimiento que busca desplegar la dimensión carismática de la iglesia, surgió como reacción a esta creciente institucionalización y burocratización que mucho se amoldaba a las estructuras imperiales y sociales, haciendo demasiadas concesiones.[217]

Ya en los documentos tardíos del Nuevo Testamento (ver 1 y 2 Ti, Tit, Ef) se percibe una proceso acelerado de institucionalización, el cual se aprecia con mayor claridad en otros escritos cristianos del siglo II, como los de Ignacio de Antioquía, Irineo de Lyon o la Didajé. El tema de los verdaderos y falsos profetas, también presente en el Nuevo Testamento (ver 1 y 2 Jn, Ap), sigue preocupando a la iglesia. Poner el profetismo y las acciones del Espíritu bajo el control del obispado monárquico fue un intento de la iglesia para poder responder ante los brotes carismáticos, gnósticos y heréticos. A su vez, las tendencias carismáticas veían en ese proceso de institucionalización un atentado contra la libertad del Espíritu y una desviación de la espiritualidad evangélica más genuina. El montanismo fue la concreción de una sentida necesidad de vivir un cristianismo contextualizado a las condiciones del

[215] W.-D. Hauschild, *Lehrbuch der Kirchen- und Dogmengeschichte*, págs. 78-81.

[216] J. Driver, *La fe en la periferia de la historia*, págs. 44-56.

[217] Anota J. Driver, *La fe en la periferia de la historia*, p. 62: "Perseguidos por las autoridades imperiales, los cristianos en Frigia tendían a oponerse al poder civil. Por su parte, los obispos de las iglesias en el imperio tendían a aliarse, o por lo menos a hacer la paz, con la sociedad secular a fin de mantener la protección de sus feligreses y el desarrollo de las comunidades cristianas."

Asia Menor de la segunda mitad del siglo II. Mientras la institucionalización la conducían las jerarquías y los intelectuales desde Roma, Éfeso, Alejandría y los otros centros de poder, el carismatismo montanista se extendía en las zonas rurales y en las pequeñas ciudades periféricas[218], conducido por líderes populares como Montano y mujeres carismáticas como Priscila, Maximilla y Quintilla. El énfasis en la guía directa del Espíritu era una crítica abierta a las pretensiones episcopales.[219] A su vez, la iglesia mayoritaria tenía que lograr su estabilidad y unidad, so pena de sucumbir ante las presiones externas del imperio y las internas de las múltiples fuerzas centrífugas que se desarrollaban. La confrontación con el montanismo aparecía como inevitable.

En perspectiva histórica, y después de las importantes contribuciones al tema realizadas por estudios desde la sociología de la religión en el siglo XX, podemos percibir que ese conflicto entre carismatismo e institución ha marcado tanto al pentecostalismo como a otras formas de religiosidad, cristianas y no cristianas.[220] Los movimientos carismáticos han surgido con frecuencia como reacción y crítica al proceso institucionalizador de las iglesias mayoritarias del entorno inmediato, así como ante la necesidad de mantener viva la raíz misma de la religión cristiana, decididamente carismática. También el pentecostalismo puede ser visualizado históricamente como una irrupción carismática que se afirma en el contexto de un protestantismo rígido en proceso de consolidar un espacio de influencia y poder en el proceso expansivo de los Estados Unidos en el siglo XIX. Los movimientos carismáticos y de avivamiento del siglo XIX, que desembocarían en el pentecostalismo, pueden ser entendidos como reacciones a la eclesiología rígida de las iglesias protestantes, preocupadas por llevar adelante sus procesos burocratizadores internos, asegurar sus espacios de influencia interna en los Estados Unidos y externos a través de sus misiones, promocionar sus postulados teológicos y éticos y defenderse del modernismo en las ciencias bíblicas.

El pentecostalismo latinoamericano tuvo influencias de diversos modelos protestantes en su origen y desarrollo temprano, que lo marcan

---

[218] Ver: A. Strobel, *Das heilige Land der Montanisten*, págs. 16-17.

[219] Según J. Driver, *La fe en la periferia de la historia*, p. 62: "Este movimiento, que intentaba restaurar el carácter fundamentalmente carismático de la autoridad en la Iglesia, surgió como reacción ante la creciente institucionalización de la autoridad eclesiástica."

[220] La obra más influyente ha sido sin duda M. Weber, *Economía y sociedad*. La Habana: Editorial Ciencias Sociales, 1964.

en algunas áreas, especialmente en sus concepciones doctrinales. Se puede destacar como característica común a todas las tendencias pentecostales de los primeros 20 años de existencia, que experimentan con mayor o menor intensidad la tensión entre carismatismo e institucionalización en su proceso de consolidación. En Chile aconteció alrededor de la década de 1920 dentro de la Iglesia Metodista Pentecostal, cuando ya son claros y decididos los esfuerzos del liderazgo pastoral por establecer estructuras eclesiásticas más sólidas, transformar el movimiento carismático en una institución eclesial estable, normativizar mejor la liturgia y el sistema financiero, regularizar los mecanismos para la toma de decisiones a nivel regional y nacional, definir la representatividad corporativa hacia el exterior, etc. Luis Orellana ha estudiado a fondo este proceso en el pentecostalismo chileno, y sus observaciones ayudan a entender la lógica en juego:

> En este periodo [1921-1932], la tendencia de los líderes fue afianzar y legitimar las posiciones de mando, por lo que procedieron a institucionalizar el movimiento teniendo como referente el protestantismo burocrático y extranjero.[221]

> [...] hacia 1930 el movimiento se había masificado, por lo que Hoover comprendió la urgencia de legitimar las posiciones de mando e iniciar el camino del estatuto, el reglamento y la tradición. Sin lugar a dudas, una ayuda notable en esta dirección fue la revista del movimiento que desde 1918 empezó a ser editada por el propio Pastor Hoover, quien con cierta mesura, en sus páginas estimuló la modernización del movimiento.[222]

Es decir, el pentecostalismo chileno surgió como una reacción carismática ante el protestantismo burocrático y formalista de principios del siglo XX, pero él mismo inició en el paso de la primera a la segunda generación de pentecostales un proceso de reorganización interna que lo llevó por los caminos de la burocratización. Así, hasta la actualidad, el pentecostalismo chileno es un fenómeno religioso muy interesante, con una enorme participación laical a nivel nacional, de creyentes que actuaban y actúan carismáticamente, pero con un liderazgo guiado prioritariamente por una lógica burocrática e institucional. La tensión generada me parece se ha vuelto insostenible y rompimientos y transformaciones están en gestación.

En México se vivió un proceso con ciertos paralelos al caso chileno,

---

[221] L. Orellana, *El fuego y la nieve*, p. 143.

[222] L. Orellana, *El fuego y la nieve*, p. 157.

al menos en el seno de la Iglesia Apostólica de la Fe en Cristo Jesús. Después de una primera fase carismática, donde hubo muchas experiencias glosolálicas y sanidades por oración, dentro de un ambiente religioso muy influenciado por los desajustes socio-políticos de la revolución mexicana y en medio de un ambiente de expectativa escatológica, esta iglesia logra un crecimiento modesto pero constante en sus primeras décadas, concentrado principalmente en dos núcleos organizadores, uno en el norte del país en torno a la ciudad de Torreón, y el segundo en el noroeste, en el estado costero de Sinaloa. La aparición de figuras proféticas extravagantes, la infiltración de doctrinas estrafalarias, el crecimiento y extensión del movimiento hacia las ciudades de tamaño medio fueron algunos de los impulsos principales para procurar la institucionalización del movimiento. Ese esfuerzo institucionalizador habría de chocar con la esencia misma de esta iglesia, caracterizada en todos los órdenes por ser un típico movimiento carismático milenarista, es decir, resistente a tendencias institucionalizantes. De ahí la tensión permanente en el seno de esta iglesia a través de toda su historia. Así lo explica con claridad Eliseo López Cortés:

> La Iglesia Apostólica funciona como un sistema abierto de no equilibrio, estructurada en una oscilación entre estructura centralizadora y procesos antiestructura. La Iglesia Apostólica surge como un movimiento carismático que evoluciona hacia una iglesia pentecostal institucionalizada; se evoluciona de un movimiento multifocal, carismático y milenarista hacia una Iglesia centralizada institucionalmente. Pero simultáneamente surge la protesta contra la institucionalización, lo cual trae como efecto a largo plazo nuevas iluminaciones, concentrándose muchas veces en cismas.[223]

Vemos así que tanto la Iglesia Metodista Pentecostal, en Chile, como la Iglesia Apostólica de la Fe en Cristo Jesús, en México, son ejemplos clásicos de movimientos carismáticos que pasaron por la necesidad de institucionalizarse debido a la dinámica interna de crecimiento y adaptación a contextos sociales y eclesiásticos que así lo exigían. Y aunque en ambas iglesias la burocratización y el fortalecimiento institucional han demostrado su capacidad para imponerse, en el seno de ambas existe un fuerte potencial carismático que mantiene latente una tensión entre el carisma y la institución, lo que con cierta frecuencia se expresa en rompimientos y otros tipos de conflictos intraeclesiales.

En relación al montanismo, se puede visualizar la similitud de los

[223] E. López Cortés, *Pentecostalismo y milenarismo*, p. 31.

procesos históricos en referencia a los pentecostalismos. Tanto en el montanismo como en los pentecostalismos el carisma se mantuvo como principio directriz y fuerza crítica que evitó el dominio absoluto de las tendencias burocratizantes. Cuando el montanismo empezó a organizarse institucionalmente, e incluso asumió nomenclaturas de la iglesia mayoritaria para referirse a su personal eclesiástico, fueron siempre las fuerzas carismáticas las que mantuvieron al movimiento como disidente, alternativo, antiestructuralizante y popular. Exactamente lo mismo se puede afirmar de su movimiento hermano nacido dieciocho siglos después, el pentecostalismo latinoamericano: han sido y serán su fuerzas carismáticas las que lo constituyen como un movimiento del Espíritu, disidente, popular, incluyente, alternativo... y con riesgo de repetir errores de la historia.

5. Conclusión: apunte final casi homilético

Espero que estos apuntes hayan servido para despertar la inquietud por un conocimiento más amplio del montanismo entre los estudiosos y las estudiosas del pentecostalismo latinoamericano. Un estudio amplio sobre este movimiento no existe en español, aunque ya hay varias síntesis muy informativas sobre el tema, aunque la mayoría en el marco de historias generales de la iglesia, por lo que se circunscriben a registrar la información más general de él, sin entrar a detalle y con profundidad en aspectos específicos.

Me parece que los cuatro aspectos presentados en este ensayo son suficientes para dejar señalada en grandes líneas la gran similitud entre el montanismo de los siglos II y III con el pentecostalismo de los siglos XX y XXI, con lo cual se extiende un arco histórico amplio que nos ayuda a visualizar cómo estos dos movimientos carismáticos, laicales, milenaristas, populares, de gran presencia femenina, proféticos y misioneros surgen y se desarrollan en momentos donde la iglesia o las iglesias dominantes de su tiempo se esfuerzan en institucionalizar sus funciones y ministerios, en fortalecer sus aparatos burocráticos, en afianzar sus espacios de poder e influencia. Tanto el montanismo como el pentecostalismo surgen en sus respectivas épocas como perturbadores movimientos del Espíritu, como movimientos contestatarios y disidentes ante un cristianismo que tiende a alejarse de las raíces carismáticas de sus orígenes, como movimientos que alzan su voz profética y su oferta de salvación en medio de sociedades afectadas por amplias transformaciones y convulsiones sociales y religiosas, donde las clases marginales corren el riesgo de seguir siendo marginadas por la sociedad y las iglesias dominantes, y cuando el mensaje liberador del cristianismo de los orígenes corre el riesgo de diluirse en doctrinas y fórmulas sin mayor impacto o injerencia en el pueblo de los márgenes.

Al mismo tiempo que destacar las similitudes entre ambos movimientos, me parece necesario que los y las pentecostales acudamos de nuevo a la historia para conocer mejor nuestras raíces y las etapas transcurridas hasta hoy, no sólo desde el origen del pentecostalismo moderno, sino desde los orígenes mismos de la iglesia cristiana, que nació como movimiento carismático, profético y de renovación integral. Sólo así podremos tener una visión amplia de la conflictiva y desafiante misión ante la que se encuentra el pentecostalismo en la actualidad, cuando está amenazado de perder su esencia liberadora, carismática, profética y de inserción en el mundo de los pobres ante el arrasante avance de diversos movimientos erróneamente llamados neo-pentecostales, quienes al usurpar el nombre también afectan la credibilidad pentecostal.

Conocer el montanismo, apreciar sus valores, evitar sus excesos, así como de otros múltiples movimientos carismáticos en la historia, seguro no será la solución para nuestras tareas presentes y futuras, pero sí será una base muy valiosa en esa dirección, y seguro también una fuente importante de sabiduría, humildad y confianza en nuestras luchas cotidianas. Seguro también puede y debe ser una forma más de saber que el Espíritu que una vez guió a Jesús y Pablo, a Magdalena y Lidia, es el mismo que guió a Montano, Priscila, Maximilla y Quintilla, así como el que estuvo con Seymour, la hermana Elena y la hermana Romanita.

Bibliografía:

Aland, Kurt, *Die Frühzeit der Kirche in Lebensbildern. Von Jesus bis Justinian.* Münster, GTBSiebenstern, 1980.

Anderson, Allan, *An Introduction to Pentecostalism. Global Charismatic Christianity*. Cambridge: Cambridge University Press, 2004.

Álvarez, Carmelo, editor, *Pentecostalismo y liberación. Una experiencia latinoamericana*. San José, Costa Rica: DEI, 1992.

Bartleman, Frank, *Azusa Street. El avivamiento que cambió el mundo*. Buenos Aires: Peniel, 2006, 2da. edición.

Boudewijnse, Barbara, André Droogers y Frans Kamsteeg, editores, *Algo más que opio. Una lectura antropológica del pentecostalismo latinoamericano y caribeño*. Costa Rica: DEI, 1991.

Brown, Peter, *Die Keuschheit der Engel. Sexuelle Entsagung und Körperlichkeit am Anfang des Christentums*. München; Wien: Carl Hanser Verlag, 1991.

Buschmann, Gerd, *Xristou koinwnos* (MartPol 6,2), das Martyrium und der
ungeklärte *koinwnos*-Titel der Montanisten, en: *Zeitschrift für die neutestamentliche Wissenschaft und die Kunde der älteren Kirche*, No. 86, Band 1995, págs. 243-264.

Colpe, Carsten, Selbstdefinition durch Rituale im hellenistisch-chrsitlichen
Kleinasien. Zu Abgrenzungen zwischen Kybelemysterien, Taurobolien, Montanismus und Bischofskirche, en: *Logos*, Beihefte zur ZNW, Band 67, Berlin; New York, 1993, págs. 30-56.

Dayton, Donald W., *Raíces teológicas del pentecostalismo*. Buenos Aires: Nueva Creación, 1991.

Deiros, Pablo, *La acción del Espíritu Santo en la historia. Las lluvias tempranas (años 100-550).* Miami: Caribe, 1998.

Driver, Juan, *La fe en la periferia de la historia. Una historia del pueblo cristiano desde la perspectiva de los movimientos de restauración y reforma radical*. Guatemala: SEMILLA, 1997.

Dussel, Enrique, editor, *Resistencia y esperanza. Historia del pueblo cristiano en América Latina y el Caribe*. Costa Rica: DEI, 1995.

Fischer, Joseph Anton y Adolf Lumpe, *Die Synoden von den Anfängen bis zum Vorabend des Nicaenums*. Paderborn, München, Wien, Zürich, Ferdinand Schöningh, 1997.

Gaxiola, Manuel, *La serpiente y la paloma. Historia, teología y análisis de la Iglesia Apostólica de la Fe en Cristo Jesús.* México: Pyros, 1994, 2a. edición.

Gaxiola López, Maclovio, *Historia de la Iglesia Apostólica de la Fe en Cristo Jesús en México*. México: IAFCJ, 1964.
Gutiérrez, Benjamín, editor, *En la fuerza del Espíritu. Los pentecostales en América Latina, un desafío a las iglesias históricas*. México; Guatemala: AIPRAL; CELEP, 1995, 11-32.
Hauschild, Wolf-Dieter, *Lehrbuch der Kirchen- und Dogmengeschichte. Band 1: Alte Kirche und Mittelalter*. Gütersloh: Chr. Kaiser; Gütersloher Verlagshaus, 2000.
Herrera, Manuel, *El avivamiento de 1909. Estudio histórico a partir de noticias y publicaciones de la época.* Santiago: Eben-Ezer, 2001.
Hollenweger, Walter, *El Pentecostalismo. Historia y doctrinas.* Buenos Aires: La Aurora, 1976.
Hoornaert, Eduardo, *La memoria del pueblo cristiano. Una historia de la iglesia en los tres primeros siglos.* Buenos Aires: Paulinas, 1985.
Hoover, Willis C., *Historia del avivamiento pentecostal en Chile*. Concepción: CEEP Ediciones, 2008, 6a. edición.
Kraft, Heinz, Die altkirchliche Prophetie und die Entstehung des Montanismus, en: *Theologische Zeitschrift*, Jahrgang 11, 1955, págs. 249-271.
Koschorke, Klaus, Gnosis, Montanismus, Mönchtum. Zur Frage emanzipatorischer Bewegungen im Raum der Alten Kirche, en: *Evangelische Theologie*, 53. Jahrgang, 1993, págs. 216-231.
León, Concepción, *Hacia una definición del ministerio de la mujer de la Iglesia Apostólica de la Fe en Cristo Jesús de México*. Tesis de Licenciatura. Seminario Bíblico Latinoamericano, Costa Rica, 1995.
León, Concepción, La participación de la mujer en la Iglesia Apostólica de
la Fe en Cristo Jesús, en: *Vida y Pensamiento*, Vol. 16,2, SBL, Costa Rica, 1997, págs. 116-126.
López, Darío, *El nuevo rostro del pentecostalismo latinoamericano*. Lima: CENIP, 2002.
López Cortés, Eliseo, *Pentecostalismo y milenarismo. La Iglesia Apostólica de la Fe en Cristo Jesús.* México: Universidad Autónoma Metropolitana, 1990.
Lugo, Gamaliel, Ética social pentecostal. Santidad comprometida, en: Álvarez, Carmelo, editor, *Pentecostalismo y liberación. Una experiencia latinoamericana.* San José, Costa Rica: CEPLA; DEI, 1992, 101-122.
Nigg, Walter, *Das Buch der Ketzer*. Frankfurt am Main, Wien, Zürich, Büchergilde Gutenberg, 1986.
Orellana, Luis, *El fuego y la nieve. Historia del movimiento pentecostal en*

Chile: 1909-1932. Tomo I. Concepción, Chile: CEEP, UBL, 2006.

Paulsen, Henning, *Zur Literatur und Geschichte des frühen Christentums. Gesammelte Aufsätze.* Tübingen, Mohr Siebeck, 1998.

Rasmussen, Alice y Dean Helland, *La Iglesia Metodista Pentecostal Pentecostal ayer y hoy.* Tomo I. Santiago: Plan Mundial de Asistencia Misionera en Chile, 1987

Salazar, Elizabeth, *"Todas seríamos rainhas". Historia do pentecostalismo chileno da perspectiva da mulher, 1909-1935*. Tesis de Maestría. Instituto Metodista de Ensino Superior. São Bernardo do Campo, SP,
Brasil, 1995.

Salinas, Maximiliano, *Historia del pueblo de Dios en Chile. La evolución del cristianismo desde la perspectiva de los pobres.* Santiago: REHUE, 1987.

Schepelern, Wilhelm, *Der Montanismus und die phrygischen Kulte. Eine religionsgeschichtliche Untersuchung*. Tübingen, J. C. B. Mohr (Paul Siebeck), 1929.

Sepúlveda, Juan, *De peregrinos a ciudadanos. Breve historia del cristianismo evangélico en Chile*. Santiago: Fundación Konrad Adenauer y Comunidad Teológica de Chile, 1999

Strobel, August, Das heilige Land der Montanisten. Eine religionsgeographiche Untersuchung. Berlin; New York, Walter de Gruyter, 1980.

Synan, Vinson, *El siglo del Espíritu Santo. Cien años de renuevo pentecostal y carismático*. Buenos Aires: Peniel, 2005.

Trevett, Christine, *Montanism. Gender, Authority and the New Proflhecy*. Cambridge: Cambridge University Press, 1996.

Wünsche, Matthias, *Der Ausgang der urchristlichen Prophetie in der frühkatolischen Kirche. Untersuchungen zu den Apostolischen Vätern, den Apologeten, Irenäus von Lyon und dem antimontanistischen Anonymus.* Stuttgart, Calwer Verlag, 1997.

Estudio 5

Elena Laidlaw, la "hermana Elena". Elementos originarios de identidad del pentecostalismo chileno presentes en la figura de una mujer controversial

Angélica Barrios

La noche del 12 de septiembre de 1909 la expectación de los feligreses no estuvo puesta en el Reverendo Ezra Bauman, quien predicaba a la congregación en la Primera Iglesia Metodista Episcopal de Santiago, sino en una mujer delgada de unos 30 años de edad, sobresaliente por sus rasgos suaves y evasiva mirada, quien junto a un grupo de hombres y mujeres había irrumpido en el templo alterando la sacra tranquilidad del culto protestante. Se trataba de Elena Laidlaw, conocida por algunos como la "profetisa" o "iluminada", quien provocaba el desconcierto de los líderes del metodismo.

Al interior de la sencilla arquitectura del primer templo metodista de Santiago, ubicado en la fangosa Avenida Portales, se reunían cientos de personas que se exponían como trofeos del abnegado trabajo que había significado para misioneras y misioneros la obra evangélica en Chile. Tres grandes obstáculos habían sido declarados como metas a superar: la superstición de la gente, la indiferencia religiosa y el catolicismo.

La estrategia implementada desde la llegada del metodismo a Chile a fines del siglo XIX para lograr arraigo en la sociedad había sido crear colegios que permitieran sostener la obra misionera en el país. Los primeros años fueron los más difíciles al tratar de sembrar la semilla protestante en el pueblo chileno, pues la Iglesia Católica tenía plena supremacía sobre la población y la ley. Muchas veces, el sólo acto de realizar un culto privado en español provocaba la persecución contra todos los participantes.

Desde el origen del metodismo en el siglo XVIII, la labor evangelística tuvo como principio fundamental la regeneración del pueblo a través de la conversión. Los alarmantes índices de alcoholismo, violencia y disfunción familiar en Chile a inicios del siglo XX se constituyeron en un terreno de acción donde el metodismo vislumbró en el mensaje redencionista del evangelio una reforma en la vida de cada individuo. No había duda que la conversión podía hacer de un alcohólico un hombre decente, trabajador y buen padre de familia. La obra metodista, que estuvo presidida mayoritariamente por un clero extranjero de origen anglosajón, promovía entre sus feligreses la austeridad, el ascenso social, la educación y la búsqueda de un mejor conocimiento de la Biblia. El orden era también un valor presente en todos los estratos de la vida, incluso en la liturgia de cada culto.

El 12 de septiembre el pastor Bauman iniciaba el último culto del día con el himno número 41. En ese instante fue que entró Elena Laidlaw con un grupo de miembros de la Segunda Iglesia Metodista de Santiago y se ubicó en la nave central del templo. Tras el predicador, sentados, se encontraban William Rice, pastor y superintendente del distrito de Santiago, y el reverendo Karl Hansen, quienes conferían cierto aspecto de potestad al joven pastor que presidía el culto aquella noche.

La liturgia se desarrolló sin mayor sobresalto, aunque la presencia de la hermana Elena no pasó desapercibida para nadie. Una vez finalizado el sermón se procedió a cantar y a pasar la colecta. Entonces fue cuando Elena, con una actitud resuelta e impulsiva, se levantó de su asiento y con voz fuerte solicitó al predicador la autorización para hablar a la congregación de su testimonio de conversión y del mensaje que Dios había revelado para ellos. En medio de un silencio tenso las miradas de hombres y mujeres se entrecruzaron como preparándose a la anunciada sentencia. En torno a ella cada congregante evaluaba lo que observaba, comprendiendo la acción de la mujer como una vulgaridad de las supersticiones o como una maravillosa intervención divina. Elena, convencida que no era su voluntad sino Dios en su persona quien le ordenaba entregar el mensaje de revelación, elevó su voz y agitó las manos en una expresión que exigía silencio y máxima atención. Sin embargo, todo intento de hablar a la congregación se vio frustrado cuando un guardia policial, ordenado por el Reverendo Rice, intentó retirarla del templo para su detención. La interposición de la fuerza que sufre la mujer por anunciar la profecía suscitó entre los feligreses un desconcierto nunca antes visto al interior de un culto metodista del país.

En medio de un tumulto que se aglomeraba al paso de Elena y el referente policial, los feligreses se enrolaban en un tenso debate en torno a las posiciones en que cada uno se ubicaba. Unos protestaban por la injusta situación que enfrentaba la mujer ante al abuso de autoridad y por la frialdad espiritual de los pastores, mientras que otros y otras reafirmaban el acto como una medida que validaba el orden cúltico y doctrinal propio de la tradición metodista.

Mientras Elena era trasladada a la 7° Comisaría de Santiago por incitar al desorden en el culto, un grupo de feligreses metodistas la acompañaba cantando y sintiéndose portadores de una espiritualidad viva y renovada para proclamar el evangelio sin trabas jerárquicas y doctrinales que mediaran su fe. La singular armonía que había caracterizado la unión de los creyentes metodistas se vio alterada en esa acalorada noche de septiembre por un particular incidente, que sin premeditación alguna, fue el origen de un nuevo y desconocido movimiento religioso en el país: el pentecostalismo.

Son escasos los antecedentes biográficos que nos lega el pasado para conocer más aspectos de la vida de Elena Laidlaw, mejor recordada por la tradición como la "hermana Elena", sin embargo, los comentarios emitidos por sus defensores y detractores posteriormente al conflicto suscitado el día 12 de septiembre de 1909 otorgan luces que permiten vislumbrar en parte su compleja figura. A través de ella nos proponemos comprender ciertos elementos claves que dieron origen a la religiosidad pentecostal.

Para el momento en que se desata el bochornoso acontecimiento mencionado, Elena era una mujer soltera de origen humilde conocida entre las principales congregaciones metodistas del centro del país por el protagonismo que había alcanzado en medio de la feligresía de Valparaíso como "profetisa". Su vida pasada, según algunos testigos, era la de una niña huérfana, que aun habiendo sido criada en un hogar metodista hasta la adolescencia, había abandonado las enseñanzas religiosas para sumirse en el alcohol y la prostitución, según arguyeron algunos. Los testimonios de la época dan cuenta que su conversión religiosa habría sobrevenido posteriormente al auxilio que recibió en la casa de los Hoover en Valparaíso luego de haber permanecido enferma en un hospital. La Sra. Mary Anny Hoover, esposa del pastor de la congregación Metodista de aquella ciudad, Willis Hoover, la acogió e invitó a participar de los cultos desarrollados en su iglesia. Allí Elena experimentó la conversión religiosa de un modo tan espectacular que absorbió la atención de los feligreses y curiosos por expresar su devoción con una fuerza emocional y corporal que transgredía los cánones habituales del orden metodista. Se trataba de efusivos llantos, éxtasis, pronunciaciones ininteligibles e incontenibles movimientos corporales que destruían y rehacían un nuevo ambiente litúrgico.

Desde hacía algunos años, la congregación metodista de Valparaíso a cargo del pastor norteamericano Willis C. Hoover Kurk, comenzaba a dar testimonio de un sobresaliente fervor que fue comprendido como un proceso espiritual conocido en el medio metodista como *avivamiento*. Aquello significaba revivir las antiguas experiencias de conversión y evangelización narradas por John Wesley, fundador del metodismo, entre los obreros y habitantes de los suburbios de Inglaterra en el siglo XVIII, o las fervientes prédicas de Charles Finney que tuvieron por resultado motivar a las iglesias del protestantismo decimonónico a una urgente búsqueda de santificación y al cambio en los hábitos de vida de cada creyente por una nueva experiencia de consagración.

Sucesos de similares características a los que se suscitaban al interior del templo metodista de Valparaíso estaban ocurriendo en diversa regiones del tercer mundo donde sociedades protestantes habían establecido misiones. Correspondencia privada y revistas daban cuenta de las noticias de conversiones masivas, sanidades y lenguas extrañas que se experimentaban en Gales, India, Corea y otros países durante la primera década del siglo XX.

El trabajo de evangelización realizado por la sociedad metodista desde su arribo a Chile en el año 1878 estuvo principalmente abocado, como ninguna otra denominación protestante, a las clases más desfavorecidas de la sociedad, celebrando sus mayores logros en la cosmopolita y moderna ciudad de Valparaíso. En poco tiempo la congregación metodista de esa ciudad se vio mayoritariamente constituida de feligreses con apellidos nacionales que sobrepasaron en número a las familias anglosajonas fundadoras del metodismo en el país.

La iniciativa del pastor Hoover y un grupo de hermanos metodistas de Valparaíso por revivir el Pentecostés de los tiempos apostólicos a través de una vida consagrada a Dios, comenzó a dar manifiestas señales que despertaron en la congregación un compromiso religioso no visto antes en medio de ellos. Algunos daban testimonio de un especial contacto con la divinidad que se expresaba en repentinas visiones proféticas, en la posesión de un llanto o risa desbordante, en la audición de un coro celestial o en el deseo incontenible de evangelizar al prójimo. El contagio de la buena nueva y las excentricidades observadas por algunos curiosos al interior del templo metodista contribuyeron a la cooptación de cientos de individuos a este nuevo ardor religioso. Entre estos recientes conversos se hallaba Elena Laidlaw, quien a un mes de su incorporación a la comunidad religiosa ya había asumido un liderazgo fuera de toda norma instituida por el metodismo. En medio del clima de efervescencia y novedad frente a los hechos que experimentaba la congregación de Valparaíso, la carismática mujer se apoderaba de los rituales que le estaban consagrados en su administración sólo a los pastores. Gracias a la afable y optimista autoridad del Reverendo Willis Hoover no hubo oposición en la congregación local que limitara sus prácticas religiosas.

Es coherente suponer que Elena no fue la única exponente en el medio eclesiástico de la renovada devoción propugnada, pero sí es demostrable que fue ella quien asumió el liderazgo del creciente carismatismo de aquellos días. "Cuando el Espíritu la tomaba, con los ojos cerrados iba a cualquier parte de la congregación, sacaba de en medio alguna persona, la hacía hincarse, le decía las cosas que tenía en su corazón, le llamaba al arrepentimiento, le ponía las manos encima y oraba y bendecía."[224]

La descripción testifica que el actuar de Elena en la comunidad profesante se presentaba como una alternativa de comunicación entre Dios y el creyente. El valor asignado por la tradición protestante a la exhortación y reflexión bíblica como acto central del culto se vio en ocasiones postergado por este nuevo canal que significó un vínculo más estrecho entre el creyente y la palabra divina, donde el individuo no tuvo que recurrir a herramientas intelectuales para acercarse al conocimiento de Dios, desatando a la vez un sentimiento de valoración hacia la persona creyente misma.

Sin embargo, las prácticas carismáticas de Elena en medio de los creyentes y el arrebatamiento de la palabra no fueron las únicas razones que generaron inquietud a los defensores de la autoridad y el orden. En varias oportunidades Elena se acercó a los pastores, e incitándoles a arrodillarse con humildad, les advertía en el nombre de Dios del deplorable estado de espiritualidad de sus congregaciones. También les recitaba una seguidilla de textos bíblicos que de una u otra manera ponían en cuestión el conocimiento que el ilustrado cuerpo eclesiástico tenía sobre la Biblia.

La irrupción de la autoridad femenina y profética que representaba Elena se escapaba del espacio que el metodismo podía ofrecer a la mujer hasta ese entonces, aun cuando su discurso oficial, influenciado por las ideas del primer mundo, había destacado el valor de la mujer

---

[224] W. Hoover, *Historia del avivamiento pentecostal en Chile*. Concepción, Chile: Ediciones CEEP, 2008, 6a. edición, p. 41.

reconociendo los grandes aportes realizados por misioneras, maestras e integrantes de la Liga Epwort, donde trabajaron tesoneramente en la obra evangélica en Chile. Elena estaba lejos del ideal impuesto por la sociedad religiosa y secular debido a su pasado biográfico, el que pesaba sobre su dignidad, habiendo sido alcohólica y posiblemente prostituta, una biografía que parecía validar el argumento moralista utilizado por sus detractores. Además, también por ser una mujer capaz de ignorar la autoridad patriarcal del pastorado institucional, desafiándolo a creer en un método religioso más efectivo sobre el creyente, que invalidaba las añejas costumbres que los pastores metodistas representaban. Elena, en su condición de "profetisa", asumió una investidura superior que pasó por alto todo conducto regular y la formalidad establecida por el metodismo y la sociedad chilena.

El discurso que se extrae de los mensajes profesados por Elena contiene un fuerte acento milenarista, lo que contribuyó a crear un marco de interpretación a los acontecimientos ocurridos en la congregación de Valparaíso. El pastor de la comunidad presbiteriana de Concepción, Tulio Morán, se apoyó en las palabras de esta mujer al proclamar lo siguiente: "Él (Dios) está llevando la viveza a las iglesias porque su juicio está cerca y decid a todos vuestros hermanos en Concepción que oren por sí mismos, porque no hay tiempo para orar por los demás."[225]

La emergencia que suscita el advenimiento del juicio y el fin de los tiempos incita a la conversión y a la evangelización del prójimo. En ese sentir se gestan dos conceptos que adquieren la categoría de lema durante el avivamiento de 1909 y en el naciente movimiento pentecostal en el país: "Chile para Cristo" y "Cristo viene".

Otros rasgos milenaristas en la posición de Elena fueron el rechazo a la ciencia médica y el sentido de persecución por causa del evangelio. Respecto al primer aspecto, es sabido que ella aconsejó a enfermos de la congregación que no se dejaran tratar por la medicina moderna.[226] En cierta circunstancia afirmó que la causa de la enfermedad de una creyente era un demonio que le atormentaba. Esta actitud ponía en cuestionamiento la admiración que el estado chileno y el metodismo propugnaban en aquellos días a favor de la modernidad y el desarrollo de las ciencias.

La confusión generada tras el conflicto desatado el día 12 de

[225] *Chile Evangélico*. 15 de octubre de 1909.

[226] *El Cristiano*. 31 de enero de 1910.

septiembre dio lugar a diversos comentarios, observaciones y acusaciones, y le dio a Elena y sus simpatizantes la convicción de ser protagonistas de una lucha contra el mal. Cada acontecimiento de desazón fue interpretado como una señal de estar sacrificándose por la obra de Cristo. En ese sentir, Elena le responde a un reportero del diario *El Mercurio* durante el día que estuvo en prisión: "Que estaba allí por la Gloria de Dios. ¡Sea todo por el Señor![227]

Otro rasgo predominante en el actuar de esta carismática mujer fue el deseo impetuoso de exponer su *testimonio de salvación* en cada una de las comunidades protestantes que visitó. Su actitud demuestra el valor trascendental que adquirió la conversión, tanto para el individuo como para la comunidad religiosa. La oferta que el discurso protestante realizaba en sus prédicas al proclamar "la igualdad de los seres humanos ante el amor de Dios" generó una puerta de entrada para que hombres y mujeres sin vinculación alguna a la tradición protestante ni a la instrucción bíblica se integraran a la comunidad pentecostal. Es ahí donde la historia de la conversión o *testimonio de salvación* adquiere un carácter de certificación que valida la legítima integración del individuo como miembro de la comunidad.

El éxito de la evangelización metodista en el país cautivó a un creciente número de feligreses de origen nacional. La novedad y emotividad de los cultos desarrollados en la congregación de Valparaíso durante el año 1909 atrajeron a hombres y mujeres de los estratos más bajos de la sociedad, cuya mayoría poseía una fama socialmente reprobable que se hallaba vinculada a criminalidad, alcoholismo, violencia, prostitución o simplemente a una vida miserable de pobreza. Para ellos la conversión religiosa no tuvo como único sentido el cambio del catolicismo al protestantismo, sino una reorganización de sus historias de vida que posibilitaba la regeneración moral y la reintegración social amparados en un nuevo rol, donde el tiempo de las degradaciones quedaba sepultado en el pasado gracias a la cosmológica respuesta de la fe aprehendida. La obra redentora de Cristo a través de la conversión se comprendió como una señal de amor y milagro experimentado en la propia vida, produciendo un fuerte sentido de gratitud y un ardiente compromiso por anunciar el evangelio. Las notas de un testigo sobre las palabras de Elena hablándole a la congregación en estado de arrobamiento, reportan que decía: "Venid a mí todos los que estáis trabajados y cargados, que os daré descanso", y que alzando el rostro y

[227] *El Mercurio*. 13 de septiembre de 1909.

los brazos al cielo, exclamaba a gran voz: "¡Oh Señor! ... que me sacaste de las profundidades del infierno, ¡gloria a ti!"[228]

Volvamos a los acontecimientos del 12 de septiembre de 1909. ¿Qué había sucedido concretamente para que las autoridades del metodismo en Chile se vieran decididas a tomar medidas contra Elena Laidlaw? La "hermana Elena", como era tratada por los congregantes de la ciudad porteña, había resuelto visitar a un familiar que se hallaba enfermo en Santiago. Cumplió su propósito el día 11 de septiembre cuando llegó a la ciudad y fue recibida por algunos feligreses de la Segunda Iglesia Metodista de Santiago. Al parecer, su principal intención durante su estadía era visitar las congregaciones metodistas de la ciudad para narrarles su *testimonio de salvación* y el mensaje profético que Dios le había revelado para ellos. Así, participó el sábado en un culto de oración y el día domingo 12 de septiembre por la mañana se dirigió al templo de la Segunda Iglesia Metodista para participar de la *escuela dominical*. Ahí se encontraba el pastor Robinson, quien conocía a Elena del tiempo en que junto al pastor Rice viajaron a Valparaíso para observar el fenómeno religioso carismático en ciernes. Él de inmediato intentó aplacar toda pretensión de la mujer de dirigirse a la congregación. Sin embargo, por la tarde otro culto se desarrolló en un local de la misma iglesia en la población Montiel, donde nuevamente se encontraba Elena junto a un número de hombres y mujeres deseosos de escucharla. Cuando hizo el intento de hablar en público, el pastor Robinson la amenazó con enviarla a la cárcel si no se callaba. Viéndose impedida de hablar, decidió junto a sus defensores trasladarse al patio del templo y continuar el culto según el nuevo fervor espiritual que los guiaba. En ese intervalo un feligrés, que según los testimonios era sobresaliente por su sencillez, entró al templo para revertir el incómodo clima de diferencias ofreciéndole un abrazo conciliatorio al pastor Robinson. Sin embargo, todo parece volverse aún más difuso y contradictorio, pues el pastor, a consecuencia del contacto cae al suelo y se golpea la cabeza originándose una herida. A partir de ese momento ya no existía un solo feligrés que no tomara parte en uno de los frentes de discusión religiosa que poco a poco se fueron perfilando.

Elena era, implícitamente, la representante del movimiento religioso carismático de Valparaíso. Sus defensores eran los mismos que daban crédito a las nuevas experiencias de fe denominando el fenómeno como "avivamiento pentecostal". No hubo duda para ellos al interpretar que sobre los hechos se hallaba el consentimiento divino, amparados en

---

[228] *Chile Evangélico*. 15 de octubre de 1909.

ciertas señales como el crecimiento numérico de la congregación y las impresionantes conversiones observadas. Aún en los mejores momentos del metodismo en Chile no se habían conocido resultados similares a los que la iglesia de Valparaíso había logrado en pocos meses.

La tensión continuó hasta la noche del 12 de septiembre de 1909 en el templo metodista de la población Portales, cuando Elena fue definitivamente enviada a prisión por el Reverendo Rice. Las consecuencias de ese acalorado día de septiembre fueron determinantes para la historia religiosa del país. Dos tercios de los miembros de las congregaciones de la primera y segunda iglesias metodistas de Santiago se separaron del metodismo episcopal y se organizaron como una iglesia independiente autodenominándose *Iglesia Metodista Nacional*, siendo ésta la primera iglesia pentecostal en Chile. Al poco tiempo, en abril del 1910, aproximadamente cuatrocientos congregantes de la iglesia de Valparaíso, junto al pastor Hoover y su esposa, se replegaron al acto separatista luego que una comisión de pastores metodistas determinara en la Conferencia Anual acusar a Hoover de "enseñanzas y diseminación de doctrinas falsas y antimetodistas" y de "conducta gravemente imprudente", donde Elena estuvo por cierto implicada, decidiendo para él unas vacaciones obligatorias en su país de origen, los Estados Unidos.

La naciente *Iglesia Metodista Nacional* al poco tiempo pasó a llamarse *Iglesia Metodista Pentecostal de Chile,* siendo la primera y la más numerosa en la actualidad, junto a la *Iglesia Evangélica Pentecostal.* En el aspecto formal de la liturgia y teología se han conservado varios elementos del pasado metodista, a los cuales se han añadido las prácticas carismáticas que gestaron su origen, connotándolas de un fuerte acento popular chileno. En el presente existe un número creciente de iglesias pentecostales que en su gran mayoría deben su nacimiento a un cisma de similares características al que se vivió a principios del siglo. La condición del pentecostalismo chileno como una religiosidad criolla, más su constante divisionismo han redundado en que hoy se constituya en la segunda fuerza religiosa del país.

La oportunidad que nos regala el pasado a través de sus fuentes nos ha permitido conocer a una *mujer*, que sin educación ni vínculos familiares prominentes, logró agrietar un esquema religioso ampliamente reconocido en el mundo y ser una pieza clave para la gestación de una religiosidad desconocida y sin paradigmas que, sin pensarlo en sus inicios, ha llegado a ser para la población latinoamericana una importante alternativa al catolicismo.

Nuestros esfuerzos por comprender la figura de Elena Laidlaw en sus contradicciones y desafíos nos ha llevado a vislumbrar a través de ella el momento histórico en que se funda el movimiento pentecostal chileno de manera espontánea y autóctona, y a conocer ciertos elementos de carácter teológico y social que han sobrevivido como componentes estructurales en el pentecostalismo tradicional de nuestro país. La relación de Elena y el origen del pentecostalismo en Chile no están dados por una voluntad y liderazgo consciente, sino que es ella con su idiosincrasia e historia de vida quien representa a muchos hombres y mujeres que crearon y creyeron en una espiritualidad conformada por elementos más cercanos a su propia historia, cultura y condición social.

Bibliografía:

Revistas:

El Cristiano. No. 38, 20 de septiembre de 1909.
Chile Evangélico. No. 6, 15 de octubre de 1909; No. 11, 19 de noviembre de 1909.
Heraldo Evangélico. No. 1524, 16 de septiembre de 1909.

Prensa:

El Chileno. 25 de septiembre de 1909; 26 de septiembre de 1909.
El Mercurio. 13-14 de septiembre de 1909.

Libros:

Hoover, Willis, *Historia del avivamiento pentecostal en Chile.* Concepción, Chile: Ediciones CEEP, 2008, 6a. edición.
Orellana, Luis, *El fuego y la nieve. Historia del movimiento pentecostal en Chile: 1909-1932.* Concepción, Chile: CEEP Ediciones, 2008.
Rasmussen, Alice y Dean Helland. *La Iglesia Metodista Pentecostal. Ayer y hoy.* Tomo I. Santiago de Chile: Editado por el Plan Mundial de Asistencia Misionera en Chile, 1987.
Sepúlveda, Juan, *De peregrinos a ciudadanos. Breve historia del cristianismo evangélico en Chile.* Chile: Fundación Konrad Adenauer, Facultad Evangélica de Teología, 1999.
Snow, Florrie, *Historiografía Iglesia Metodista de Chile: 1878-1918.* Tomo I. Chile: Ediciones Metodistas, 1999.

Estudio 6

Experiencia pentecostal e interculturalidad. Por una educación teológica encarnada en Latinoamérica

Daniel Chiquete

1. Introducción

Las Jornadas Teológicas de CETELA de 2009 tienen dimensiones históricas y simbólicas especiales. Estamos congregados en el país latinoamericano donde irrumpió por primera vez la experiencia pentecostal, acontecimiento que los y las pentecostales celebramos con gratitud a Dios y esperanza, confiando estar iniciando un siglo mejor al anterior. Recientemente, en junio, representantes de diversas instituciones ecuménicas del continente celebramos en Cuba los 80 años del Congreso Evangélico Hispanoamericano de 1929, hito histórico fundamental de la historia del cristianismo evangélico y del ecumenismo en Latinoamérica. De manera similar, grandes sectores del protestantismo mundial se aprestan a la celebración del cumplimiento de los 100 años del Congreso Misionológico de Edimburgo de 1910. En aquel congreso las iglesias del norte soñaron con la evangelización del mundo dentro del lapso de una generación. En esos planes evangelísticos, por cierto, se dejó fuera a Latinoamérica como campo misionero, pues, según el argumento oficial, ya era un continente cristiano, es decir, católico. Me pregunto si ese argumento no era ya la aceptación tácita de las iglesias europeas de lo que sería el fundamento de la Doctrina Monroe, es decir, el reclamo de "América para los americanos" (del norte). Mientras el protestantismo primermundista planificaba lleno de optimismo y de recursos humanos y financieros la evangelización global, en Latinoamérica y otras partes de mundo el pentecostalismo hacía su irrupción en el mundo de los pobres y marginados, llegando con su mensaje de salvación y esperanza a los sectores olvidados de las iglesias tradicionales y de los gobiernos. Es así como en el cristianismo mundial empezaron a avanzar desde las primeras décadas del siglo XX dos movimientos emparentados, pero distantes entre sí: el protestantismo misionero y el pentecostalismo. Y hoy, después de un siglo siguen siendo parientes distanciados, que se miran con cierta desconfianza y reservas.

Estos parientes necesitan una mayor dosis de amor, conocimiento y humildad que los conduzcan al reconocimiento mutuo, a entender y apreciar los lazos que los unen dentro de una gran familia. Por ello celebro la iniciativa de CETELA de haber escogido a Chile como escenario y la temática de "experiencia pentecostal e interculturalidad" para sus Jornadas Teológicas del 2009, y le agradezco con calidez fraterna haberme invitado a participar de ellas, especialmente por medio de estas reflexiones que ahora comparto. También agradezco a mis hermanas y hermanos de RELEP de haber estado dispuestos a cambiar las fechas de nuestra propia Jornada de Reflexión Pentecostal, originalmente planeada para los días 9 a 11 de septiembre, a los días previos de CETELA, renunciando a participar en las celebraciones del Centenario pentecostal, para que varios de nosotros y nosotras pudiésemos participar también de las Jornadas de CETELA. Creo que ese es un gesto más de la vocación y apertura ecuménicas pentecostales, la que no debe quedar sin reconocimiento.

Es importante recalcar que estamos celebrando estas Jornadas Teológicas en medio de una desastrosa crisis del capitalismo neoliberal. Asistimos al derrumbe de un capitalismo salvaje que afecta en su caída países enteros y millones de vidas humanas. Se trata de una crisis que no sólo es financiera, sino también de principios, visiones de vida y filosofías: de paradigmas. Esta situación marca todas las áreas de la vida social e individual, cultural y política, mundial y local, y por tanto es de la incumbencia de las iglesias, así como de otras organizaciones cristianas, incluyendo las educativas que conforman CETELA, ocuparse seriamente con el tema. Las iglesias están convocadas por el Evangelio de Jesucristo a defender la vida y fortalecer la esperanza, y sus instituciones educativas desafiadas a ofrecer luz y respuestas teológicas y pastorales en tiempos de angustia y confusión. La teología está llamada más que nunca a mostrar que ella puede ser, en nombre de Dios, un servicio de vida por medio de la inteligencia y la creatividad humanas, del pensar teológico desde la fe en Dios que opta siempre por la vida.

En medio de este panorama de desastre por un lado y de afirmación de la vida por el otro que surge mi reflexión sobre el tema de experiencia pentecostal e interculturalidad, y esto desde mi horizonte de fe y participación eclesial, que son principalmente pentecostal y ecuménica. Procuraré compartir algunas ideas y plantear algunos desafíos que espero puedan estimular la reflexión de estas Jornadas Teológicas.

2. Experiencia pentecostal

El tema de las "experiencias religiosas" es con frecuencia controversial tanto en las discusiones a nivel popular como en el académico. Ellas albergan generalmente un alto grado de subjetividad, a lo que se añade en ciertos casos un aún mayor grado de subjetividad de quienes las estudian. Esta situación se aplica por supuesto también a las experiencias religiosas pentecostales, las que han recibido todo tipo de interpretaciones y valoraciones. Y por supuesto yo no pretendo tener la solución para enfocarlas y comprenderlas mejor. Mi modesto interés en esta conferencia es sólo compartir algunas reflexiones que pudieran ayudar a un esfuerzo conjunto para descubrir vetas valiosas en algunas de estas experiencias en el contexto latinoamericano, que pudieran enriquecer el proceso y el contenido de la educación teológica en Latinoamérica, que sean más incluyentes del pentecostalismo, más sensibles a la perspectiva interna de los creyentes pentecostales.

Hay siempre un margen de ambigüedad en muchas de las experiencias religiosas, incluyendo las pentecostales, lo que dificulta su valoración y análisis. Reconozco mi personal inquietud cuando mis hermanas y hermanos pentecostales me narran algunas "experiencias" que atribuyen a la acción de Espíritu Santo con demasiada credulidad. Creo en el poder transformador del Espíritu Santo, pero no creo que todo lo que acontece en las iglesias pentecostales sea obra del Espíritu Santo. Falta en muchas iglesias pentecostales criterios claros que orienten el juicio maduro sobre lo que acontece en ellas, especialmente en sus cultos y otras actividades comunitarias.

En la actualidad, asistimos en casi todo el mundo a una especie de renacimiento o efervescencia de experiencias religiosas de todo tipo. En el contexto latinoamericano, y cercano al ámbito del pentecostalismo, desde hace alrededor de veinte años hay una inflación de experiencias religiosas diversas con dudoso sustento en la Biblia, la tradición eclesiástica y en el sentido común. Risa santa, restauración del ministerio apostólico, teología de la prosperidad, guerra espiritual, siembras de fe, confesión positiva, etc., dominan el interés del ámbito pentecostal en amplios sectores, y en los últimos años también en algunos grupos del evangélico denominacional. Lo positivo que pudieran tener algunas de estas expresiones, se convierte en negativo ante la falta de criterios y de procesos reflexivos que ayuden a las comunidades a evaluarlas y reaccionar ante ellas de manera adecuada. Antes de seguir me parece oportuna una aclaración básica al respecto: estas ofertas religiosas afectan directamente las iglesias pentecostales, pero no son pentecostales. El pentecostalismo es víctima de ellas, no su patrocinador; le llegan de fuera, no nacen de su espiritualidad fundante.

Por ello, aunque pueda parecer repetitivo, es necesario recordar algunas de las experiencias religiosas y bases teológicas que de alguna manera identifican el movimiento pentecostal mayoritario y más representativo, al que con cierta imprecisión se le denomina "clásico".

Desde hace un siglo el pentecostalismo hizo su aparición en nuestras tierras y se convirtió en una da las fuerzas espirituales más renovadoras, importantes, masivas y perturbadoras de nuestro continente. Fue un movimiento del Espíritu que caló hondo en las clases populares, siempre marginadas y postergadas de cualquier beneficio social y espiritual. El impacto pentecostal es el más grande y positivo que el cristianismo haya logrado en nuestro continente a nivel popular. En su enorme diversidad ha transformado el mapa religioso del continente, lo ha vuelto más complejo, plural y rico; ha echado raíces profundas en nuestras tierras y dado algunos frutos muy buenos, pero somos conscientes de que también los árboles buenos pueden enfermarse, las raíces secarse, dar frutos amargos, ser afectados por plagas. Por ello el pentecostalismo, como toda tradición religiosa, debe mantener siempre una actitud vigilante de su desarrollo, someterse siempre a un análisis autocrítico, revisar sus creencias y prácticas, usar el don de discernimientos de espíritus para distinguir el Espíritu de Dios en su medio y abrirse a su acción liberadora y creadora de vida.

Quiero compartir brevemente tres dimensiones importantes de la experiencia religiosa y cinco de los puntos teológicos centrales que le dan particularidad al pentecostalismo.

3. Tres dimensiones de la experiencia religiosa pentecostal

3.1 Una experiencia de gracia

La experiencia pentecostal ha sido percibida y vivida como una experiencia de "gracia" por los "des-graciados" de nuestras tierras. Aunque haya tendencias recientes de origen exógeno que presentan la gracia de Dios como negociable, casi como producto comercial, el pentecostalismo siempre ha reconocido la dimensión de gratuidad de la salvación. La lectura o escucha atenta de los testimonios pentecostales deja clara esta comprensión. Que Dios salva, transforma situaciones de desesperación, restaura vidas humanas, reconstruye familias, ofrece horizontes de fe y esperanza, sana de dolencias físicas y emocionales, libera de ataduras de todo tipo, etc., es el núcleo del testimonio pentecostal y de la experiencia religiosa pentecostal. Y el pentecostalismo confiesa estos actos concretos de salvación como regalos de Dios, como dones gratuitos e inmerecidos, como gracia, aunque no utilice esta palabra por considerarla católica. El agradecimiento y la celebración de estos acontecimientos de salvación caracterizan la espiritualidad pentecostal, como se refleja en sus cultos. En su esencia, la experiencia pentecostal es el cambio de estatus de las personas de des-graciadas a a-graciadas, haciéndolas personas a-gradecidas. Gratuidad y gratitud son dos dimensiones fundamentales de la experiencia religiosa pentecostal.

3.2 Una experiencia de liberación-transformación

Es importante remarcar el binomio pues también puede haber liberaciones que paralizan y no estimulan a acciones transformadoras. Hay gente que no sabe qué hacer con la libertad adquirida. La dimensión liberadora de la experiencia pentecostal no ha sido siempre suficientemente valorada, tal vez porque el discurso teológico y horizonte de comprensión de nuestras teologías latinoamericanas han estado muy determinados por el concepto de liberación de la teología de la liberación. La experiencia y el discurso pentecostales no priorizan ciertamente la dimensión política y socio-económica de la liberación, simplemente porque no pueden hacerlo por carecer de los elementos teóricos de análisis y formulación discursiva. No disponen del bagaje teórico ni la convicción requerida para hacerlo. Lo que acontece es que en su propio horizonte de comprensión y contexto de vida –la jodida vida de los pobres, las excluidas, los rotos, las ninguneadas–, experimentan liberaciones profundas, reales, concretas: liberación de los pequeños grandes infiernos de la drogodependencia, alcoholismo, auto desprecio, violencias, resentimientos, sentido del sinsentido de la vida, enfermedades, exclusión social, racismo y muchas más. Son liberaciones similares a las que obró Jesús: sanan y liberan al individuo, pero además repercuten positivamente en el contexto de vida. Tal vez no sean liberaciones políticas, pero que sí tienen un efecto político, como lo tuvieron las operadas por Jesús: afectan relaciones, corrigen visiones de la vida, ponen en el centro a lo marginal. Recordemos que Jesús sanó a una viejecilla encorvada, a un loco agresivo en un panteón, a unos ciegos limosneros, a una chiquilla extranjera y desnutrida, a unos leprosos hediondos, es decir, lo más marginal e insignificante de su mundo. Nada que pusiera a temblar a ningún político. ¡Pero qué efectos transformadores a nivel micro y macro trajeron esos pequeños actos liberadores-transformadores! De manera cercana, y guardando toda proporción, creo que los y las pentecostales tienen una visión localista, como Jesús la tuvo, y su aporte para transformaciones de vida consiste en la capacidad de transformar sus micro-espacios vitales, los que a la larga también tienen efectos en contextos mayores. Al fin y al cabo nuestra gran América es también la suma de muchos pequeños mundos, y no habrá proyectos que alcancen transformaciones-liberaciones integrales, pero sí actos locales que vayan abarcando espacios y gentes a lo largo de todas nuestras geografías físicas y humanas.

3.3 Una experiencia de transculturalidad

Sin silenciar el efecto negativo que algunas sectas religiosas e iglesias pentecostales causan en algunas comunidades de nuestros pueblos originarios, creo que la experiencia pentecostal ha mostrado principalmente un horizonte espiritual y una lógica religiosa más cercana a las espiritualidades de nuestras culturas milenarias que muchas de las otras familias cristianas. El pentecostalismo puede funcionar como políglota cultural pues abarca horizontalmente muchos espacios geográficos y culturales. Es una religiosidad que puede ser incluyente y dialógica, y por ello tiene un potencial de enlace y comunicación que debemos fomentar. Las primeras comunidades pentecostales en Estados Unidos fueron ejemplares en cuanto a la superación de la segregación racial que todavía imperaba en la sociedad y las iglesias a principios del siglo XX, no en la ley escrita pero sí en la vida cotidiana. Negras, blancos, asiáticos y latinas componían las membresías pentecostales originarias y celebraban sin problema la comunión, oraban los unos por los otros imponiendo las manos, se sentían parte de un mismo cuerpo y compartiendo el mismo Espíritu. De manera similar, en Latinoamérica es un hecho que el pentecostalismo es aceptado por los más diversos grupos, indígenas, poblaciones urbanas y rurales, negros, migrantes, mestizos. Necesitamos aprovechar mejor ese potencial. Es cierto que el pentecostalismo de tendencia ecuménica es minoritario, pero también lo es el ecumenismo católico y protestante. Somos minorías que intentamos ser levadura positiva, haciendo crecer la esperanza y la certeza de que sólo unidos y unidas podremos ser como iglesia de Cristo fuerza de vida para nuestro continente.

4. Cinco puntos teológicos centrales del pentecostalismo

Junto a estas experiencias fundamentales del pentecostalismo, ahora quiero presentar cinco de los postulados teológicos básicos que lo identifican. El pentecostalismo latinoamericano tiene una teología escrita todavía embrionaria, aunque hay ciertas condiciones para que logre avances importantes en los próximos años. Para esta reflexión sólo puedo mencionar brevemente algunos temas teológicos tradicionales. Lo hago para mostrar que las experiencias pentecostales fundantes tienen una base teológica bíblica, y no como las experiencias emergentes, cuya única ligazón con la Biblia son ciertos motivos sacados de contexto y de una validez espuria, o al menos cuestionable. Me limitaré a las afirmaciones del llamado "evangelio cuadrangular" ("Cristo salva, sana, bautiza con el Espíritu Santo, vendrá otra vez como rey") y la glosolalia.

4.1 Cristo salva

Para el pentecostalismo la salvación tiene que evidenciarse en cambios concretos en las condiciones vitales. Mientras que para el catolicismo la salvación se garantiza por la pertenencia a la iglesia católica y la participación en los sacramentos, y en el protestantismo acontece en la aceptación por fe de la obra redentora de Cristo, el pentecostalismo espera una experiencia de conversión y la aceptación pública de la fe, generalmente ritualizada en el bautismo. El pentecostalismo además quiere encontrar huellas y señales de esa salvación en la vida de los creyentes: una objetivación del acontecimiento espiritual de salvación, la cual pone de manifiesto que la persona ha sido transformada por Dios en todas sus dimensiones. La salvación implica cambios positivos en las circunstancias de vida, en una conducta renovada, de disposiciones espirituales y emocionales positivas. Ser salvo, para el pentecostalismo, como para la espiritualidad del Antiguo Testamento, es vivir en el *shalom* de Dios, en un equilibro de vida integral e integrador. Por ello me parece erróneo atribuir a todo el pentecostalismo una comprensión escapista de la salvación, como si todo lo esperaran en "el más allá", fuera de su realidad cotidiana concreta.

4.2 Cristo sana

Esta es una afirmación con sentido muy cercano a la anterior. Como en la Biblia, el pentecostalismo concibe muy cercanas, en ocasiones identificadas como única, las experiencias de salvación y sanidad. Las experiencias de sanidades están entre las causas que más contribuyen al crecimiento de las iglesias pentecostales. Es difícil encontrar un creyente pentecostal que no tenga un testimonio directo o indirecto de una sanidad. La sanidad es de un valor teológico, emocional, espiritual y político muy grande en el pentecostalismo. Teológico porque media la relación y la comprensión con lo divino: a través de sanidades los y las pentecostales experimentan la fascinación de lo divino, rozan lo "tremendo", lo "fascinante" y lo "majestuoso" de Dios. Ser sanados por Dios es entendido como ser aceptados por Él, tomados en cuenta, haber recibido una señal de su amor y preocupación por cada persona. La experiencia de lo sagrado acontece en el mismo cuerpo, el único lugar que se tiene para experimentar la vida, para comunicarse con lo humano, lo social y lo divino. El clamor por la salud y la búsqueda de ella en Dios tienen también una dimensión política: es un manifiesto político, una denuncia implícita a los sistemas humanos incompetentes, productores de enfermos y despreocupados por la vida plena de los ciudadanos y las ciudadanas.

4.3 Cristo bautiza con el Espíritu Santo

Junto a la conversión, el bautismo con el Espíritu Santo es la experiencia más profunda y transformadora del pentecostalismo. El bautismo con el Espíritu es el acto donde la divinidad habita a la persona humana y con ello toma posesión de ella. Pero paradójicamente es una posesión que libera, pues empodera a la persona para hacerse dueña de sus actos, y así recuperar su libertad y subjetividad. La persona se vuelve sujeto. De estar sujeta se hace sujeto. Ahora es capaz de interactuar en libertad con otros sujetos libres. Las personas bautizadas con el Espíritu se sienten ahora consagradas, las "ninguneadas" de la sociedad y de la historia ahora son templo del Espíritu Santo, casa de Dios. Es lo más cercano que se puede estar del estado de gracia que se discutió tanto en la teología patrística respecto a la frase "seréis como dioses". Los pentecostales no se sienten dioses, pero sí saben que la presencia del Espíritu en su cuerpo, en su vida, es un acto trascendental, transformador, liberador. Lo humano se llena de lo divino, lo divino hace morada en lo humano. Es una especie moderada de encarnación. Los cuerpos despreciados, fatigados, explotados, son habitados por lo divino. ¿Habrá experiencia religiosa más profunda?

4.4 Cristo viene otra vez

El aspecto teológico más crítico y temido del cristianismo antiguo fue su escatología. El gran exegeta Ernst Käsemann llamó a la escatología "la madre de la teología cristiana". La escatología no es una especulación sobre los acontecimientos finales, sino la afirmación de que no son los poderes de este mundo los que tienen la última palabra y la conducción de la historia, sino Dios y su Cristo, y con ellos el triunfo de un proyecto salvífico incluyente. Cristo viene otra vez como rey y juez, es decir, como rey que establecerá la justicia. En la iglesia de los orígenes declarar a Jesús como el Señor era un acto político subversivo pues descalificaba la pretensión de los emperadores romanos de ser divinos y señores. El anuncio de que Cristo viene otra vez es un grito político, es una descalificación de los poderes terrenales incapaces de proteger la vida en justicia y bienestar para todos y todas. La escatología pentecostal no es un escapismo del mundo, es una proclama de fe de que se espera al único que puede establecer justicia: Cristo. Creer y anunciar que Cristo viene otra vez no es una invitación a la pasividad política, sino una afirmación de fe y esperanza de que ningún poder terrenal tiene la capacidad de salvar la vida humana en todas sus dimensiones.

4.5 La glosolalia

Conocida también como "hablar en lenguas", es entendida como la evidencia de haber sido bautizados por el Espíritu Santo, fue uno de los aportes teológicos del pentecostalismo primeros y más controversiales. Es un tema que también está en el origen de las primeras y dramáticas divisiones del movimiento. En Latinoamérica no es un tema muy prominente en muchas tradiciones pentecostales, aunque en algunas lo sigue siendo. Dos aspectos teológicos me parece son importantes de señalar respecto a este tema. Primero, que el "hablar en otras lenguas" tiene una dimensión de liberación y crecimiento espiritual. Muchos pentecostales la señalan como la experiencia espiritual más indeleble de sus vidas. Es una toma de la palabra, que en sí ya un acto reivindicativo. Una palabra que la que el o la creyente se dirige a Dios, pero que también es la palabra con la que el Espíritu ora y gime por medio del ser humano cuando éste ya no sabe qué o cómo hablar. Es un acto comunicativo donde la persona se sale de lo cotidiano, de lo lógico, del orden, y se deja llevar a una dimensión desconocida, pero donde no está perdida, sino más bien encontrada, acogida, bendecida. Pablo da instrucciones a la comunidad de Corinto para una práctica ordenada de la glosolalia, pero no quiere eliminarla. Al contrario, con cierto orgullo dice "yo hablo en lenguas más que todos ustedes", y un poco después expresa: "yo quisiera que todos ustedes hablaran en lenguas". El hablar en lenguas puede ser entendido como la toma de palabra de los que han sido considerados sin voz, los silenciados de la historia y la sociedad, los que no son sabios según los criterios de este mundo. Es un milagro comunicativo y un acto político. Es una negación al silencio, el ocultamiento y la incomunicación.

La racionalidad teológica ha eliminado mucho de la fascinación que la religión ha aportado a la vida. El misterio ha dejado de ser misterioso y muchas iglesias se transforman en organizaciones empresariales o clubes sociales. Lo asombroso, lo sobrenatural, lo extraordinario se ha vuelto sospechoso, está fuera de lugar. ¡Es necesario recuperar la fascinación de lo religioso en el cristianismo! ¡Es necesario volver a creer en lo increíble! Para ello seguramente el pentecostalismo seguirá siendo un contribuyente destacado.

5. Pentecostalismo e interculturalidad

Las experiencias religiosas se viven en contextos culturales, es más, ellas también son experiencias culturales. En Latinoamérica, desde años se ha puesto el tema de las culturas en un lugar central de la reflexión teológica. También otras disciplinas lo han hecho, incluso antes que la Teología. La interculturalidad ya no es un tema o un eje más de reflexión: es una condición esencial, imperativo ético y exigencia histórica del pensar teológico y filosófico. Después que la teología de la liberación mostró un camino para pensar la fe cristiana desde nuestro contexto y con una agenda propia, se avanzó luego al reconocimiento de la necesidad de vivir y reflexionar desde nuestras propias fuentes culturales y religiosas, de beber en nuestros propios pozos de sabiduría milenaria. Y ese camino sigue siendo un desafío y una fuente de esperanza para la teología y la educación teológica para el presente y el futuro. Ya se ha avanzado mucho, pero aún hay mucho camino por recorrer.

Cuando se habla de interculturalidad o de teología contextual no se trata de que todos hagamos teología indígena, como algunos suponen. Tampoco se trata de que disciplinas o temas que no aborden directamente la problemática de las culturas no son importantes. De lo que se trata es de hacer teología desde una clara conciencia de la complejidad cultural de

Latinoamérica, sabiendo que en nuestras tierras hay pozos de sabiduría muy hondos a los que no hemos recurrido, universos de símbolos, valores, sensibilidades, revelaciones, experiencias que son la savia de nuestros pueblos profundos que deben convertirse en un referente privilegiado de nuestro pensar teológico. Pero el uso de símbolos, categorías y vocabulario de nuestras culturas aborígenes no debe convertirse en criterio absoluto para evaluar lo contextual o encarnado de nuestro quehacer teológico. También tenemos en Latinoamérica herencias africana, asiática y europea, y ellas también conforman las culturas nuestras, americanas. En general, en Latinoamérica somos culturas híbridas, sincréticas, en transformación. Por ello nuestra educación teológica puede concebirse como una "polifonía teológica en la interculturalidad", como propusimos para lema rectoral de la UBL en el año 2007. La diversidad latinoamericana genera una potencia creadora que debemos conocer más a fondo y aprovechar mejor en nuestra visión ecuménica latinoamericana. Algunas disciplinas de estudio han hecho aportes muy valiosos en ese sentido. La literatura latinoamericana es de las más creativas del mundo; la teología latinoamericana es dispersa, rebelde, provocativa y crítica; la filosofía latinoamericana es renovadora y estimulante. Tenemos elementos para seguir potenciando nuestro pensar teológico, y confío que también para la renovación de la enseñanza teológica, un interés de absoluta centralidad para las instituciones de CETELA. (¡Al menos así debería ser!).

Pero es claro que esa diversidad también está cargada de conflictividad. No es posible que todos pensemos igual, sintamos igual, valoremos igual. Entonces se trata de encontrar una base o un principio que ayude a hacer fructíferas nuestras diferencias en un proyecto común. En forma provisoria propongo que el valor común que nos liga con más fuerza es la vida misma. La opción que nos congrega e identifica es la opción por la vida y la justicia. Una vida que incluye nuestro espacio vital, una historia compartida de sufrimiento y opresión, pero también de esperanza, resistencia y crecimiento. Por ello nuestras teologías son diversas en método, vocabulario, sujetos creadores y propuestas, pero tenemos un mismo horizonte de vida, una ética de fondo y una convicción que nos da unidad en la diversidad: creemos que la vida humana es el máximo valor de la existencia, y nuestras diversas teologías lo expresan de maneras diferentes. Es ese horizonte común lo que nos estimula a crear espacios de hermandad, de encuentro, de diálogo y acción conjunta. CETELA es un ejemplo vivo de ello.

El pentecostalismo es tan complejo y diverso porque es una espiritualidad sensible a los contextos con los que interactúa, que son prácticamente todos los de Latinoamérica. Por ello es una de las experiencias más transculturales de nuestro continente. Aunque se le acuse con frecuencia de ser escapista de las realidades sociales, no deja de ser un factor de transformación individual y social muy valioso, imprescindible. Pero debido a ciertos prejuicios añejos, cuando se habla de diversidad cultural se aplaude, pero cuando se habla de un pentecostalismo diversificado se le critica; las expresiones religiosas o populares se defienden, pero las expresiones pentecostales más de base y populares son vistas con sospecha. Debemos entender que una de las máximas riquezas del pentecostalismo latinoamericano es su capacidad de contextualizarse, de actuar como puente de sentidos entre las culturas locales y la fe cristiana, de ligar elementos diversos en una visión unitaria.

6. Educación teológica encarnada

El proyecto de educación teológica en Latinoamérica está en crisis en varias regiones e instituciones. Algunas debido a las dificultades económicas, otras por malos manejos administrativos, otras por pérdida de credibilidad, otras por crisis de paradigmas. No todas han sido capaces de leer oportunamente los "signos de los tiempos" y adecuarse a los cambios y exigencias del contexto latinoamericano y mundial. Me concentraré ahora a una de las situaciones que merecen mayor atención: la presencia pentecostal en el continente y en las instituciones educativas. Los pentecostales no hemos podido crear las condiciones necesarias para ofrecer la educación teológica adecuada a nuestras iglesias. Las iglesias pentecostales han sido incapaces de comprender esta necesidad, han sido avaras con la educación, miopes para visualizar el futuro. A su vez, las instituciones ecuménicas no están en condiciones de responder a las necesidades educativas de los pentecostales, o no han hecho los esfuerzos necesarios para hacerlo. Así que estamos en una Latinoamérica que se pentecostaliza, pero con un pentecostalismo que crece y se educa como puede, sufriendo la indiferencia de las iglesias pentecostales como la de las instituciones educativas ecuménicas. Y también tenemos un protestantismo que no crece numéricamente, o que se reduce, pero que se aferra a las posiciones de privilegios y espacios de control y dirección que no responden más a la realidad continental. Tenemos que darnos cuenta todos y todas que estamos juntos delante de un gran desafío, que al mismo tiempo es una gran oportunidad: potencializar el acceso de los pentecostales a la educación de calidad dentro de un marco de ecumenicidad libre de prejuicios y temores, dentro de un ambiente de hermandad e interculturalidad entre iguales en la diversidad. No es una tarea fácil, pero sí necesaria. El cristianismo latinoamericano no irá adelante sin los pentecostales, como tampoco los pentecostales no iremos adelante sin sensibilidad ecuménica y reflexión teológica. Ya no puede pensarse en Latinoamérica un ecumenismo sin la participación pentecostal de acuerdo a su importancia eclesial y teológica.

CETELA propone una "educación teológica encarnada". Esto es tremendamente significativo pues incluye una orientación de principios y una confesión de fe que son centrales del cristianismo. La palabra "encarnación" es una de las más cargadas de sentido del vocabulario teológico. Ella alude a la encarnación del Hijo de Dios en la historia humana. Cristo se hizo carne, cuerpo, historia. Fue un acto que nos reveló mucho de Dios: su amor, su solidaridad, su opción por los márgenes y lo pequeño. Desde el pesebre de Belén hasta la cruz del Calvario la vida de Jesús fue una constante revelación del corazón de Dios. Jesús expone al ser humano delante de Dios en su fragilidad y necesidad, pues él ha asumido ambas en su cuerpo, es decir, en su vida. Pablo explicó la encarnación como un vaciamiento de la divinidad que dejó todos sus privilegios celestiales para venir al mundo en forma de esclavo al servicio de la vida. Por ello entiendo que una "educación teológica encarnada" quiere ser una que está puesta al servicio de la vida, que se despoja de privilegios especiales y se preocupa por el mundo de los márgenes, que asume las contradicciones de los contextos sociales, culturales y religiosos donde se hace presente, que tiene a Jesucristo como modelo e inspiración. Una educación teológica con ese enfoque tiene necesariamente que estar abierta al pentecostalismo, al cristianismo de los márgenes (a pesar de que muchos sigan confundiendo el pentecostalismo con mega-iglesias, teología de la prosperidad y otras anomalías religiosas de nuestro tiempo). Como Jesucristo, entonces será una educación que se asume en un contexto, unas condiciones históricas propias, un lenguaje, un horizonte de comprensión, y especialmente guiada por la pasión y compasión por el mundo de los márgenes.

Partiendo de esta suposición esperanzadora, confío en que estamos dispuestos y dispuestas a realizar las transformaciones necesarias en nuestras instituciones educativas para lograr esta educación encarnada y, como Cristo nos dejó de ejemplo en su encarnación, no aferrarnos a formas antiguas de educar, a privilegios institucionales, a espacios rancios de poder y control, sino transformarnos siguiendo el ejemplo de Cristo y entrar al mundo de las necesidades reales.

Sabemos que el cristianismo no católico del continente es esencialmente pentecostal con su 10 % de la población general, contra el 0,7 de la membresía de las otras iglesias evangélicas. Y no lo digo en espíritu de polémica o con orgullo, sino como un hecho objetivo que debe orientarnos en nuestro quehacer educativo y en las políticas y estrategias institucionales. Los y las pentecostales son la esperanza de subsistencia de muchas instituciones teológicas del continente, pues sus estudiantados se vuelven cada día más pentecostal en número y orientación. Y nosotros los pentecostales también somos pueblo de Dios, y necesitamos y exigimos una educación teológica que responda también a nuestras necesidades, sensibilidad, espiritualidad y contexto. ¡Una educación encarnada, pues!

Hay que decidir si la educación teológica debe estar al servicio del pueblo de Dios en su conjunto, o de una minoría privilegiada, como ha sido generalmente. Necesitamos decidir si reorientaremos los métodos pedagógicos, los contenidos, los sistemas de beca, la vida devocional, para estimular la llegada de los y las pentecostales a nuestras instituciones, y para que se sientan bien en ellas, o si sólo seguirán siendo parte de nuestros discursos y números imprescindibles para solicitar apoyos económicos a las agencias cooperantes.

Sabemos que incluso las iglesias del llamado protestantismo histórico se pentecostalizan rápidamente. Cerrar los ojos ante esta situación no ayuda en nada, querer oponerse a esta tendencia es "dar coces contra el aguijón". Es más provechoso pensar juntos y juntas estrategias educativas para lograr un pentecostalismo más educado, maduro, dialógico y ecuménico, pero sin que pierda su esencia pentecostal. Sólo una educación encarnada, fiel a la Palabra de Dios y al espíritu latinoamericano, sensible a las realidades continentales, puede contribuir a proteger al pentecostalismo, y con ello al protestantismo latinoamericano, de esta avalancha de religiosidades espurias al servicio de las ideologías neoliberales, de estas religiones que funcionan en la lógica del mercado y del consumismo.

Seguro esto no es tarea fácil, e incluso puede ser un proceso largo y complejo. Pero yo no creo que la encarnación de Cristo y el camino por el que optó haya sido un placentero día de campo.

Latinoamérica se pentecostaliza aceleradamente y eso asusta a muchos, y en ocasiones a mí también. Pero la teología sigue siendo protestante, así como los cuerpos docentes, administrativos, programas educativos, métodos de enseñanza, estrategias institucionales. Así no iremos muy lejos. Necesitamos odres nuevos para vinos nuevos. Hablamos mucho de los sujetos emergentes en la teología, hablamos de la teología indígena, feminista, negra, campesina, pentecostal (siempre al final de los enlistados), pero ¿dónte están los docentes indígenas, feministas, negros, campesinos o pentecostales en nuestros centros educativos? Sí, hay algunas excepciones que confirman la regla general.

Si queremos una educación teológica encarnada debemos realmente abrirla a las experiencias concretas del continente. Debemos darle cabida a las experiencias pentecostales, a los sujetos pentecostales, en toda su importancia y representatividad. La inculturalidad no sólo debe ser un tema, sino el horizonte hermenéutico y la generadora de sentido del proceso. Se trata de democratizar los recursos, democratizar las oportunidades, democratizar las responsabilidades, democratizar la esperanza.

Yo no tengo una propuesta clara de cómo hacerlo, pero confío en la experiencia y sabiduría concentrada en CETELA y otras experiencias ecuménicas continentales. Esa sabiduría aquí acumulada, la experiencia de algunos triunfos y muchos fracasos, la sabiduría milenaria de nuestras culturas, la creatividad y fuerza del Espíritu del Pentecostés que nos acompaña, pero principalmente el amor de Dios derramado en nuestros corazones pueden hacer posible una educación teológica encarnada, es decir, desde la vida real de nuestro continente maravillosamente complejo, exuberantemente bello, milenariamente sabio, jodidamente golpeado pero tercamente esperanzado, creyente, luchador, fiestero y amoroso.

Creo en la educación teológica, creo en CETELA, creo en el ecumenismo, creo en la interculturalidad, creo en el pentecostalismo, creo en el Dios de Jesucristo. Que nuestra fe en acción nos ayude a crear las condiciones para una educación teológica encarnada para nuestro continente de pueblos y gentes maravilladas y maravillosas. Así sea.

Made in the USA
Monee, IL
13 May 2023